Plantes grimpantes

Secrets de jardinier

Plantes grimpantes

Julie Boudreau

Bertrand Dumont éditeur

Catalogage avant publication de Bibliothèque et Archives Canada

Boudreau, Julie

Plantes grimpantes

(Secrets de jardinier)

Comprend des réf. bibliogr. et un index.

ISBN 2-923382-10-2

1. Plantes grimpantes d'ornement. 2. Plantes grimpantes d'ornement - Québec (Province). I. Titre. II. Collection.

SB427.B68 2006   635.9'74   C2006-940276-0

BERTRAND DUMONT ÉDITEUR INC.
C.P. 62
Boucherville (Québec)
J4B 5E6
Tél.:   (450) 645-1985
Téléc.:   (450) 645-1912
Courriel: info@jardinplaisir.com

REMERCIEMENTS

À ceux qui partagent leur expertise: Alain Breault, Dave Demers, Jean-Pierre Devoyault, Bertrand Dumont, Robert Mineau, Norbert Noël, Michel André Otis et les autres.

À ceux avec qui j'échange des conversations volubiles.

À ceux autour de qui j'aime m'entortiller.

À Éric, Camille, Mathilde et Charlotte qui me portent chaque jour au 7e ciel.

EN PAGE COUVERTURE: gloire du matin 'President Tyler'

ÉDITEUR: Bertrand Dumont

RÉVISION: Raymond Deland

CONCEPTION DE LA MISE EN PAGES: Norman Dupuis

INFOGRAPHIE: Lise Lapierre et Sylvie Marion

PHOTOGRAPHIES: toutes les photographies sont de Julie Boudreau, à l'exception de celles des pages: 8 et 9, 12, 14, 17, 18, 19, 25, 27, 28, 40, 42, 45, 46, 47, 48, 52, 57, 59, 62 (médaillon), 63, 66, 67, 75, 78, 79, 84, 85, 87 (petite et médaillon), 89 (petite), 95, 98, 101 (petite), 104, 106, 107, 109, 111, 112, 114 (petite), 118, 119, 124, 126, 127, 128 et 129, 136 (A), 137, 139 (en haut [2], au centre, à droite), 141 (à gauche), 143 (en bas à gauche), 146 (en bas), 148, 152 (toutes sauf A, B et F), 160 (en bas [2]), 161 (en haut), 167, 169, 171 (à droite), 172, 176 (A), 179 (en bas) et 184 qui sont de B. Dumont/Horti-Média.

Dépôt légal – Bibliothèque et Achives nationales du Québec, 2006
        Bibliothèque et Archives Canada, 2006

ISBN 2-923382-10-2

Imprimé au Canada

L'éditeur remercie:

Gouvernement du Québec – Programme de crédit d'impôt pour l'édition de livres – gestion SODEC

Table des matières

Qui pourrait s'en passer ? 6

Mes 50 plantes grimpantes préférées 8

Annuelles, mais si belles 10

Ascension vers la bouche 28

Élévation foliaire 42

Les feuilles réinventées 54

Plus vraies que nature 64

Fleurs, fleurs, jolies fleurs 72

Gratte-ciel de l'ombre 90

Bizarre, bizarre ! 98

Parfums célestes 120

Mes 50 réponses à vos questions 128

Que la vérité jaillisse ! 130

Comment les acheter ? 132

Comment les utiliser au jardin ? 140

Comment les planter ? 153

Comment les entretenir ? 164

Comment les conserver et les multiplier ? 177

Carte des zones de rusticité 187

Bibliographie 188

Références 189

Index 190

Qui pourrait s'en passer?

QUE SERAIT UN JARDIN sans pelouse, sans fleurs, sans arbustes et sans arbres ? Cet espace trouve tout son sens quand il est occupé de volumes et de formes. Longueur, largeur et hauteur sont à la base ce que représentent les plantes du jardin : des formes géométriques qui occupent un espace.

LA VIE SANS VOLUME

Les plantes grimpantes jouent sans contredit le rôle important d'apporter de la hauteur à un jardin. Sans hauteur, pas d'effet de surprise, pas de perspectives changeantes, pas de volume. Sans hauteur, pas de sentiment d'être dominé, d'être encadré, d'être en sécurité. Les plantes grimpantes peuvent s'élever sur des dizaines de mètres de haut tout en n'occupant que très peu d'espace en largeur et en épaisseur. Un net avantage sur les arbres.

Bien sûr, on vante les mérites des plantes grimpantes dans les petits jardins, mais, en rien, elles ne devraient leur être exclusivement limitées. Le plus petit comme le plus grand des jardins peut accueillir de telles plantes. Elles vont partout et ne sont pas obligées de pousser à la verticale. Elles peuvent aussi

La vigne à raisin n'hésite pas à s'accrocher au passage aux tiges des pavots qui se trouvent à proximité.

ramper ou retomber, et il est aussi possible de les sculpter ! Les possibilités sont multiples. Les plantes grimpantes agissent aussi pour camoufler des objets ou des vues indésirables. Que le mur délabré devienne un tapis de verdure ! Que la clôture banale soit une palissade feuillue !

SAGE OU SAUVAGE ?

De plus, et c'est ce que j'aime de certaines plantes grimpantes, elles inspirent la jungle. Celles qui sont des proches cousines des lianes sont parfaites pour verdir tout, tout, tout et pour le faire densément. Complètement à l'opposé, d'autres plantes grimpantes peuvent garder la pose, docilement, plaquées contre une tonnelle.

Il ne faut pas oublier que derrière chaque plante grimpante se tient habituellement un support de croissance. Les tonnelles, les treillis, les obélisques et autres supports peuvent devenir tout aussi intéressants que les plantes qui s'y agrippent. En fait, c'est dans le parfait mariage d'un support de culture et d'une plante grimpante que réside toute l'essence d'un jardin réussi, peu importe son style.

Les plantes grimpantes ne sont pas forcément des plantes que l'on fait grimper sur des treillis le long de maisons. Ici, dans les Jardins Chénier-Sauvé, cette clématite 'Hagley Hybrid' s'élance à la conquête d'un tuteur original, placé en plein milieu d'une plate-bande.

JULIE BOUDREAU

Clématite macropetala

Mes 50 plantes grimpantes préférées

Annuelles, mais si belles

MES PLANTES GRIMPANTES ANNUELLES PRÉFÉRÉES

Asarine
'Joan Loraine'   12

Dolique 'Ruby Moon'   14

Cobée mauve
et blanc   16

Chapeau chinois   18

Thunbergie
'African Sunset'   20

Gloire du matin
'President Tyler'   22

Ipomée rouge   24

Séneçon orange   26

LES PLANTES GRIMPANTES annuelles sont aussi diversifiées qu'intéressantes. Elles rassemblent toutes les couleurs de l'arc-en-ciel. Aucune fleur ne ressemble à l'autre, aucun feuillage ne rappelle celui du voisin. On peut donc prendre beaucoup de plaisir à sélectionner, en fonction du style et des conditions du jardin, la, ou les, plante grimpante annuelle idéale.

Leur grande vigueur est la qualité qu'elles ont toutes en commun. C'est avec empressement qu'elles remplissent les treillis et les tonnelles qu'on leur propose comme support. Généralement gourmandes en eau et en fertilisant, il ne faut surtout pas hésiter à leur apporter beaucoup d'engrais, soit une application d'algues liquides ou d'émulsion de poisson par semaine. Étant annuelles, on peut exiger d'elles le maximum de feuillage et de floraison en un été, car, une fois les gels arrivés, c'est la mort certaine. Cela dit, certaines grimpantes annuelles font, occasionnellement, la surprise de se comporter en plante vivace de courte vie, comme le dolique, ou l'honneur de se ressemer d'elles-mêmes, comme le font souvent les gloires du matin.

Les plantes grimpantes annuelles cohabitent merveilleusement les unes avec les autres, pour le plus grand plaisir des yeux. Il ne faut pas hésiter à les combiner en créant des jeux de contraste ou d'harmonie avec les floraisons. Aussi, pourquoi les confiner aux traditionnels treillis? Elles conviennent aux jardinières suspendues, elles peuvent retomber d'un muret et même jouer le rôle de couvre-sol.

Séneçon orange

ASARINA SCANDENS 'JOAN LORAINE'

J'aime cette plante...

… pour sa belle et apparente fragilité. J'ai toujours trouvé les asarines exceptionnellement délicates, dignes des plus belles subtilités du jardin. Aucune structure de fer forgé ne devrait en être dépourvue. J'aime aussi la teinte vert tendre de son feuillage.

L'ASARINE EST SYNONYME de romantisme. La plante est délicate, son port est léger et son feuillage petit et souple. C'est une plante grimpante annuelle, à tiges volubiles et à pétioles enroulants, bien vigoureuse, même si elle occupe relativement peu d'espace dans un jardin. Un plant peut atteindre au plus trois mètres de hauteur et occuper seulement 60 cm en largeur. Les jeunes tiges prennent plaisir à s'entremêler entre elles avant de s'enrouler ensemble autour du support qui leur est proposé.

FLEUR DE DRAGON

La feuille est de forme plutôt triangulaire à trois lobes. À l'aisselle de chacune d'elles se trouve une fleur. En vérité, l'asarine est capable de fleurir à outrance et sans arrêt. La floraison se développe du bas de la plante vers le haut, puisque les fleurs apparaissent au fur et à mesure de la croissance. Le secret pour établir une floraison sur toute la hauteur de la plante est de pincer certaines des jeunes tiges de 20 cm de long à 5 ou 10 cm du sol afin de les forcer à émettre de jeunes et nouvelles pousses porteuses de fleurs. Celles-ci apparaissent les unes au-dessus des autres, ce qui fait qu'on apprécie des groupements de fleurs et non une floraison éparse.

Certains jardiniers font le lien entre la fleur de l'asarine et celle du muflier dont elle est une proche cousine. Par contre, il est plus facile de reconnaître en cette fleur une «tête de dragon», autre dénomination attribuée à l'asarine.

SANS PEINE ET SANS ENCOMBRE

Originaire du Mexique, l'asarine est une plante de plein soleil qui tolère assez bien l'ombre légère. Elle préfère les sols plus ou moins riches à riches, mais toujours bien drainés. Cela dit, il faut s'assurer que le sol demeure frais. On obtient ceci par des arrosages réguliers ou l'application d'un paillis au sol. Jusqu'à maintenant, les insectes nuisibles et les maladies ont ignoré l'asarine. Elle pousse et fleurit sans trop de contraintes.

Cette plante se multiplie par semences. Les semis se font à l'intérieur au début d'avril en contenant individuel dans un terreau tout usage. Les graines sont très légèrement recouvertes et placées sous éclairage à une température ambiante de 18 à 20 °C. Elles germent en 14 à 25 jours. On transplante les jeunes plantules au jardin lorsque les derniers risques de gel sont écartés.

TOUT EN FINESSE

Les asarines nécessitent des supports assez fins, allant des ficelles tendues, aux fils de fer en passant par les tiges de fer forgé d'au plus 3 cm de diamètre. Elles font aussi de superbes plantes retombantes dans les jardinières suspendues, où elles sont cultivées seules ou en compagnie d'autres plantes annuelles au port informel. Elles conviennent à la culture en contenant décoratif si elles reçoivent des arrosages réguliers.

En plus du cultivar 'Joan Loraine', à fleurs violettes, on peut cultiver avec succès 'Red Dragon', à fleurs rose carmin; 'Mystic Pink' à fleurs rose clair et 'Snow White' à fleurs blanc pur.

CONSEIL D'EXPERTE

Produites en serres, les plantes grimpantes annuelles, comme les asarines, sont souvent placées à nouveau en serres à la jardinerie afin de les protéger des gels tardifs du printemps. Avant de les mettre en terre au jardin, il est important de leur offrir une période d'acclimatation. Placez d'abord les plantes trois ou quatre jours dans un endroit ombragé avant de les exposer au plein soleil et de les planter. Ceci prévient les coups de soleil qui endommagent le feuillage, le faisant pâlir.

LABLAB PURPUREUS 'RUBY MOON'

J'aime cette plante...

… pour l'heureux mariage du feuillage et des fleurs qui s'harmonisent si bien ensemble. En quelques occasions, elle s'est comportée en plante vivace, repoussant à partir du sol.

LE DOLIQUE est un proche cousin des haricots grimpants, mais on le cultive pour ses qualités ornementales. Les larges feuilles vertes, teintées de pourpre, mettent en valeur une floraison en grappes érigées, rose bonbon. La floraison laisse place à des gousses aplaties d'un pourpre très foncé, très décoratives. Certaines personnes les considèrent comme comestibles, d'autres comme toxiques. Vu les opinions contradictoires, il est recommandé de s'abstenir de consommer ces fèves.

Cette plante grimpante, originaire d'Afrique tropicale, était autrefois cultivée sous le nom latin de *Dolichos lablab*. Elle peut atteindre plus de trois mètres de hauteur, qu'elle gravit à l'aide de ses tiges volubiles. Il est possible de planter les doliques densément, à tous les 30 cm, mais un seul plant peut occuper un mètre de largeur.

UN SEMIS FACILE

Les doliques sont très faciles à cultiver. On peut les semer à l'intérieur, directement en pleine terre, ou se procurer des plants dans les jardineries.

Le semis à l'intérieur se fait au milieu du mois d'avril. On sème en godets de tourbe compressée individuels ou dans des contenants faits main avec du papier journal. Ce n'est pas que ce soit une plante sensible à la transplantation, mais la plantation directement avec le contenant facilite la manipulation des plants. On recouvre les semences de 2 ou 3 cm de terreau. Celles-ci germent mieux à des températures chaudes, entre 20 et 22 °C. La germination prend entre 6 et 25 jours. On peut planter les jeunes doliques une ou deux semaines après les derniers risques de gel du printemps.

Si on opte pour le semis directement à l'extérieur, on procède une semaine avant la date de risque de dernier gel, soit la mi-mai pour la région de Montréal. Comme les haricots, les doliques attendent le réchauffement du sol avant de se pointer le bout du nez hors du sol. Peu d'insectes et de maladies s'en prennent à cette plante.

ÉCONO-CONSEIL

À l'intérieur même des gousses de doliques se trouvent des semences que l'on peut récolter et entreposer en vue des années futures. Pour cela, laissez les gousses sécher sur le plant, puis prélevez les semences. Plus besoin de les racheter chaque année! De plus, vous pouvez les conserver au moins six ans.

VIVE LES EXTRÊMES

Les doliques apprécient les terres à jardin meubles. Ils tolèrent les sols légèrement acides et prospèrent dans les sols légèrement humides. Un apport de compost ou de fumier bien décomposé au moment de la plantation leur est favorable, mais n'est pas obligatoire. Ils affectionnent le plein soleil, mais ne dédaignent pas un emplacement légèrement ombragé, ce qui réduit l'abondance de la floraison, mais rehausse les tons pourprés des feuilles.

Dans les faits, j'ai déjà cultivé les doliques dans un emplacement ombragé, un sol atrocement sec et pauvre et des arrosages plus que rares avec d'excellents résultats. Preuve que cette plante s'adapte à bien des conditions difficiles et qu'on peut la négliger sans trop de conséquences.

COMPLÉMENT VÉGÉTAL

Un pareil feuillage permet des jeux d'association de feuillages fort intéressants. On le plante en compagnie de vivaces comme les cierges d'argent (*Cimicifuga* sp.) ou, pourquoi pas, près de conifères au feuillage argenté. Il s'associe bien à des graminées comme le chasmanthium (*Chasmanthium latifolium*) ou de grands miscanthus de Chine (*Miscanthus sinensis*). Les doliques sont faits pour grimper, sur des tipis, des treillis ou des galeries de fer forgé. Sans support motivateur, Ils stagnent bêtement.

Cobée mauve et blanc

COBAEA SCANDENS

J'aime cette plante...

… pour la forme unique des fleurs en forme de cloches surplombées d'une collerette verte. Plantées ensemble, les deux plantes se mettent mutuellement en valeur. Les fleurs mauves rehaussent les fleurs blanches et vice-versa.

VIVACES VIGOUREUSES originaires de l'Amérique centrale et du Sud, les cobées se comportent comme des annuelles sous notre climat. Elles doivent leur nom au missionnaire jésuite et botaniste espagnol Bernado Coba qui a collectionné divers spécimens botaniques au Mexique au début du XVIIIe siècle.

Les cobées produisent un feuillage bien particulier et des fleurs encore plus uniques. La feuille est composée de six folioles elliptiques et se termine par une longue vrille ramifiée qui permet à la plante de s'agripper à peu près n'importe où. À travers ce feuillage dense apparaissent des fleurs mauves. Le cultivar *Cobaea scandens* 'Alba' exhibe des fleurs blanc crème.

La fleur est déposée sur un calice vert qui donne l'impression d'une soucoupe sous une tasse florale. Les jardiniers anglais surnomment d'ailleurs les cobées «Cup-and-Saucer Vine». Dans les deux cas, les jeunes fleurs apparaissent d'abord vertes, puis prennent graduellement leurs couleurs. À l'intérieur de chaque fleur s'allongent de curieuses étamines recourbées. Le fruit est plutôt discret et de peu d'intérêt pour le jardinier, sauf si celui-ci veut récolter les graines.

UNE LONGUEUR D'AVANCE

Les cobées se multiplient par semis que l'on effectue très tôt, en mars, afin de donner aux plants une longueur d'avance. En effet, elles fleurissent tardivement en été. Rares sont les fleurs si on pratique un semis directement à l'extérieur. De germination difficile, il est conseillé de faire tremper les graines deux heures avant de les semer. Les semences sont finement recouvertes et les plateaux de semis sont installés dans un endroit où la température varie de 21 à 24 °C. Elles prendront entre 21 et 30 jours pour germer.

Une fois germées, les plantes se développent rapidement et leur culture devient facile. On peut ralentir leur ardeur en pinçant les jeunes tiges au-dessus de la troisième ou quatrième feuille.

Les cobées sont plantées à l'extérieur après les derniers risques de gel. Elles affectionnent les sols légers, plus ou moins riches et des arrosages abondants. Le drainage est essentiel. Les cobées ne devraient pas être fertilisées à outrance, car cela favorise le développement du feuillage au détriment de la floraison. Une application d'un engrais riche en phosphore et en potassium toutes les deux semaines suffit.

DANS LA SIMPLICITÉ

Un seul plant peut atteindre plus de trois mètres de hauteur et près d'un mètre de largeur. C'est un excellent sujet pour couvrir les clôtures de grillage métallique et les treillis de bois. Il arrive à s'agripper à des poteaux de bois de 10 cm de largeur. C'est une plante assez dense pour servir d'écran et bloquer des vues indésirables.

Personnellement, un simple mélange de l'espèce et du cultivar à fleurs blanches me satisfait pleinement, mais j'imagine sans peine un ou deux plants de thunbergies à fleurs jaunes ou orange (*Thunbergia alata* 'Sun Lady' ou 'Suzie') à travers les fleurs de cobées.

CONSEIL EXCLUSIF DE L'AUTEURE

Les plantes annuelles grimpantes sont faciles à cultiver ensemble. N'hésitez pas à mélanger cobées, pois de senteur, gloires du matin, asarines et autres. Lorsque l'une d'entre elles reprend son souffle, l'autre est au plus fort de sa floraison. C'est sans oublier le joyeux mélange de coloris.

IDÉE À DÉCOUVRIR

Les supports de croissance des plantes grimpantes ne sont pas obligatoirement faits de matériaux inertes. Par exemple, laissez grimper les chapeaux chinois le long des tiges des verveines de Buenos Aires (*Verbena bonariensis*). Les jeunes treillis de saule vivant peuvent aussi recevoir quelques plantes grimpantes, le temps qu'ils se densifient.

Chapeau chinois

RHODOCHITON ATROSANGUINEUM

J'aime cette plante…

… car c'est une des premières plantes grimpantes annuelles que j'ai essayées à mes tout premiers débuts. Elle s'était alors entortillée dans un escalier en colimaçon d'une cour urbaine, rendant visite au voisin du troisième étage! J'ai été surprise par sa vitesse de croissance, alors qu'elle ne poussait que dans un contenant décoratif de 20 cm de diamètre.

ENCORE MAL CONNUS, et pourtant largement répandus sur le marché, les chapeaux chinois méritent plus d'attention. Cette plante annuelle à tiges volubiles fleurit sans arrêt de la plantation à sa destruction par le gel, même sans fertilisation. Imaginez avec un peu d'engrais…

En plus de posséder des tiges volubiles, les chapeaux chinois s'agrippent surtout à l'aide de leurs pétioles qui spiralent à la manière des vrilles. La plante s'entortille vigoureusement sur un support assez mince, comme de la ficelle, un filet ou du treillis métallique. Avec un peu d'aide, c'est-à-dire des attaches, elle peut gravir des structures plus grossières. Elle atteint jusqu'à trois mètres sans trop de peine. Toutefois, c'est une plante qui occupe peu d'espace en largeur, rarement plus de 60 cm.

FEUILLES EN CŒUR, FLEURS EN TROMPETTE

Les feuilles sont vert moyen, en forme de cœur, serties de petites dents pointues sur tout leur pourtour. Le feuillage est souple et il crée rarement des écrans denses. Malgré cela, il supporte admirablement bien la floraison.

Les fleurs retombantes ont tout d'une lanterne chinoise. Quatre sépales rose pourpré sont soudés pour former une lanterne d'où retombe une longue fleur tubulaire allongée de couleur pourpre très foncée, presque noire. L'extrémité de la fleur se termine par cinq pétales étoilés. Même lorsque la fleur se fane, les sépales persistent et conservent leur belle couleur rosée, ce qui donne la nette impression d'une plante toujours en fleurs.

PLANTATION DÉLICATE

Les chapeaux chinois se cultivent tant en pleine terre qu'en contenant décoratif. Ils poussent au plein soleil ou à la mi-ombre dans un sol plus ou moins riche, meuble et bien drainé. Ils apprécient des arrosages réguliers, mais ne détestent pas des arrosages plus généreux et craignent même les manques d'eau répétés. Même si la fertilisation est inutile, deux ou trois applications d'engrais complet augmentent la vigueur et la floraison d'une plante déjà en bonne santé.

La transplantation est moyennement facile et il arrive aux jeunes plants de succomber s'ils sont plantés avec brutalité. Il faut donc les manipuler avec soin en essayant de conserver la motte intacte et de ne pas briser les tiges frêles. Donc, ceux qui produisent les chapeaux chinois par semis ont avantage à les cultiver en godets biodégradables, en semant trois ou quatre graines dans chaque contenant. Les semences, qui sont recouvertes de quelques millimètres de terreau, sont placées à une température de 18 à 20 °C. Elles germent en 12 à 40 jours. La plantation dans le jardin a lieu deux semaines après la fin des gels.

À LA MANIÈRE DES LANTERNES

Par leur port retombant, les fleurs de chapeaux chinois sont faites pour être vues d'en dessous. On installe donc cette plante sur une arche ou une tonnelle afin de permettre aux fleurs de retomber comme des clochettes, ce qui lui vaut son nom anglais de *Purple Bell Vine*. C'est un très bon sujet qu'on laisse s'enchevêtrer au travers d'autres plantes grimpantes, annuelles ou vivaces, par exemple, le houblon doré (*Humulus lupulus* 'Aureus'), les clématites à floraison printanière (*C. alpina* ou *C. macropetala* et leurs cultivars) ou les passiflores (*Passiflora* sp.).

Thunbergie
'African Sunset'

THUNBERGIA ALATA 'AFRICAN SUNSET'

J'aime cette plante...

… pour sa généreuse floraison. Elle s'insère partout et rehausse les espaces où on la cultive par ses fleurs aux tons chauds.

MÊME SI J'AI UN FAIBLE pour les fleurs orange en général, et que je serais donc tentée de faire la promotion de la thunbergie 'Sun Lady' ou 'Suzie Orange', j'ai retenu 'African Sunset', car elle représente bien toute la nouvelle gamme de thunbergies offerte à l'heure actuelle. Traditionnellement de couleur jaune ou orange à centre noir, d'où leur appellation de Suzanne aux yeux noirs, les fleurs de thunbergies sont maintenant teintées de bronze, de cramoisi ou de rouge carmin. Découvert à l'état naturel au Kenya, le cultivar 'African Sunset' possède toutes ces couleurs à la fois. Les fleurs s'ouvrent sur des tons d'abricot profondément veiné de rouge brique pour terminer leur vie sur un jaune abricot clair et pur. Comme les cultivars plus anciens, ces nouveaux arrivants étalent leur floraison sur tout l'été.

ARROSAGES REQUIS

Les thunbergies prospèrent dans les sols riches, meubles et drainés, mais s'adaptent aux sols plus ou moins riches et meubles. Les arrosages sont essentiels à sa survie, quoique le cultivar 'African Sunset' semble plus résistant à des arrosages moins généreux que ses consœurs à fleurs orange. Une fertilisation bimensuelle favorise les explosions florales. Plantes de plein soleil, elles supportent des endroits moins lumineux.

Les thunbergies doivent être plantées avec précaution, car trop de bousculade retarde la croissance. Une fois bien établies, elles se développent avec beaucoup de vigueur. Un occasionnel nettoyage des feuilles jaunies redonne des airs de jeunesse à la plante.

Les thunbergies sont très faciles à produire soi-même par semis. On les sème à l'intérieur à la mi-avril dans un simple terreau humide. Recouvertes de quelques millimètres de terreau, les semences sont placées dans un endroit chaud, autour de 18 °C. Les graines germent en 10 à 21 jours. Elles sont repiquées au jardin dès que les risques de gel sont écartés.

VERS LE HAUT OU VERS LE BAS

La thunbergie fait son ascension grâce à des tiges volubiles fort débrouillardes. En fin de saison, cette plante annuelle atteindra certainement trois mètres de hauteur et environ 75 cm en largeur.

Elle se cultive bien en jardinière suspendue, mais aussi en contenant décoratif où elle se contente de retomber librement à défaut d'un soutien vers le ciel. En contenant, elle peut être combinée à d'autres annuelles aux coloris contrastants, comme des verveines Temari violettes, des géraniums lierres à fleurs écarlates ou des amarantes queues de renard (*Amaranthus caudatus*). Elle forme aussi des couvre-sol intéressants au bord des murets de pierre. Sur un treillis, l'association de thunbergies et de gloires du matin est un coup de cœur assuré. Partout où il y a de quoi s'enrouler, elle s'entortille.

À DÉCOUVRIR

Le genre *Thunbergia* renferme de nombreuses espèces toutes aussi belles les unes que les autres. En plus du cultivar 'Alba' à fleurs blanches, les collectionneurs rechercheront les thunbergies à fleurs bleues, *T. grandiflora* et *T. erecta* ou une autre à fleurs bicolores, jaune et rouge, regroupées en grappes : *T. mysorensis*.

Thunbergia erecta

IPOMOEA PURPUREA 'PRESIDENT TYLER'

Pour des tableaux intéressants, on peut marier différents cultivars de gloire du matin comme ici 'Blue Star' (blanc et bleu) et 'Split Personality' (rose et blanc).

J'aime cette plante...

... pour la couleur sombre de ses fleurs. Les gloires du matin en général sont de grands classiques, reconnus pour leur facilité à germer directement à l'extérieur.

QUI NE CONNAÎT PAS les gloires du matin? Leurs larges fleurs en forme de coupe, leurs feuilles en forme de cœur et leurs tiges qui s'enroulent vers le ciel. Le cultivar 'Heavenly Blue', avec ses fleurs bleu poudre, a été planté au moins une fois dans chaque jardin du Québec. Toutefois, les gloires du matin ne se résument pas à ce seul cultivar. Près d'une trentaine d'entre eux n'attendent que d'être découverts. Fleurs roses, mauves, violettes, rouge cerise ou maculées, la diversité est là. Même les feuillages panachés ont des représentants. La gloire du matin 'President Tyler' possède des fleurs d'un violet particulièrement intense, légèrement teinté de pourpre, ce qui donne aux fleurs des reflets de velours.

Les gloires du matin tirent leur nom du fait qu'elles s'épanouissent seulement en début de journée. Vers 14 heures ou 15 heures, aucune trace d'elles, les fleurs se referment.

VŒUX DE PAUVRETÉ

Les gloires du matin s'enroulent autour des poteaux d'au plus 10 cm de diamètre et entreprennent leur ascension vers le ciel avec beaucoup de vigueur. En moins de temps qu'il ne le faut pour épeler locomotive, elles ont déjà atteint plus de trois mètres de hauteur. Généreusement arrosées, elles produisent un feuillage luxuriant et abondant. Toutefois, la floraison est tributaire de la fertilisation. Trop d'engrais encourage la production de feuillage, au détriment de la floraison.

C'est dans ce sens que les gloires du matin préfèrent les sols pauvres et non enrichis. Ceux qui sont secs leur conviennent parfaitement et elles y fleurissent avec générosité. Toutefois, les plants demeurent chétifs et peu feuillus. Le secret est de trouver la juste dose : assez de richesse dans le sol et d'arrosages pour favoriser le développement du feuillage, mais pas trop, pour encourager la floraison.

Mêmes si elles préfèrent les emplacements ensoleillés, les gloires du matin sont aussi très jolies à l'ombre légère. Dans ces conditions, les fleurs se font un peu plus rares.

VIVE LES GLOIRES LIBRES!

Les gloires du matin sont reconnues pour se ressemer dans le jardin librement et, dans leur cas, c'est une belle qualité. Très souvent, elles germent dans les endroits les plus improbables, créant d'agréables surprises. Même les cultivars, comme 'Knowlia's Black' ou 'Milky Way', se ressèment d'eux-mêmes et fleurissent avec beaucoup de fidélité au cultivar d'origine. On peut ainsi cultiver des gloires du matin sans effort plusieurs années durant.

Évidemment, tout commence par une première fois. On peut semer les gloires du matin à l'intérieur en godet individuel au début du mois de mai. On s'assure de semer en contenant biodégradable, car ces plantes supportent assez mal la transplantation. La technique la plus simple consiste à semer directement en pleine terre vers la mi-mai. Pour un meilleur taux de germination, on fait tremper les graines quelques heures dans l'eau avant de les semer. On recouvre les graines de 10 mm de terre. La germination est rapide, prenant 4 à 15 jours.

TECHNIQUE À DÉCOUVRIR

Ayez toujours sous la main de généreuses quantités de semences de gloires du matin. Au début du mois de juin, laissez tomber quelques graines dans les endroits dénudés, le long des murs de la maison, près des escaliers et des patios ou autour de la cabane de jardin. Une simple ficelle tendue de haut en bas s'installe en un rien de temps et offre un support adéquat pour ses ajouts de dernière minute.

Ipomée rouge

IPOMOEA MULTIFIDA

L'IPOMÉE ROUGE est une espèce qu'il est difficile de mettre en lien avec la gloire du matin. La comparaison se limite à la forme plutôt parabolique des fleurs. Tout le reste diffère. Les fleurs de l'ipomée rouge sont tubulaires et se terminent par des pétales soudés en étoile. Leur coloration rouge vif ne peut passer inaperçu. Tout comme leur forme particulière qui rend celle-ci intéressante pour les papillons et les colibris. Les fleurs s'épanouissent sur un feuillage pour le moins original. En effet, chaque feuille est découpée, formant ce que je compare à la forme des doigts de crapauds.

COLIBRIS, NE PAS S'ABSTENIR

Les tiges volubiles de l'ipomée rouge peuvent atteindre quatre mètres de hauteur, mais la plante demeure délicate et non agressive. Cette caractéristique en fait une candidate idéale pour les obélisques et les petits ornements de fer forgé. On peut aussi la laisser s'entortiller sur une petite structure d'au plus un mètre de hauteur et l'entourer d'annuelles colorées.

Des pentas rouges, des nicotines blanches et des fuchsias à fleurs allongées, comme le cultivar 'Gartenmeister Bonstedt', complètent bien le jardin pour colibris. Toutes ces fleurs les attirent tel un aimant.

Dans un autre ordre d'idées, des coléus à feuilles larges, des millets ornementaux (ex.: *Pennisetum glaucum* 'Purple Baron') et des cannas peuvent jouer de contraste avec le feuillage fin de l'ipomée rouge.

SANS CAPRICES

Le plus fantastique avec cette ipomée est qu'elle endure les sols pauvres et les conditions de cultures torrides. Même si elle supporte des conditions de sol difficiles, elle préfère tout de même un sol légèrement humide ou, du moins, arrosé régulièrement. Un bon drainage est essentiel. La fertilisation se limite à une application d'engrais liquide toutes les trois semaines. Attention de ne pas trop fertiliser, car la plante développe alors une quantité phénoménale de feuillage et presque pas de fleurs.

L'ipomée rouge est une annuelle que l'on multiplie par semis. Faciles à récolter, les semences demeurent viables durant plusieurs années. Le semis se pratique à l'intérieur, vers la fin du mois d'avril. On sème dans des godets individuels de tourbe ou de papier journal. Comme pour les gloires du matin, on gagne à faire tremper les graines 24 heures dans l'eau avant de les semer. On recouvre celles-ci d'un centimètre de terreau. Après moins d'une semaine d'attente, les cotylédons, en forme de boomerangs, font leur apparition.

On peut aussi semer l'ipomée rouge directement au jardin vers la mi-mai. Il devient alors important de beaucoup arroser chaque jour jusqu'au moment de la germination.

Enfin, les ipomées rouges font les choses par elles-mêmes, puisqu'il n'est pas rare de les voir se ressemer de façon naturelle près de l'endroit où on les a cultivés l'année précédente.

CONFUS?

Il est facile de confondre l'ipomée rouge avec une autre grimpante similaire, l'ipomée cardinale (*I. quamoclit*), qui possède une fleur rouge semblable à celle de l'ipomée rouge. Elle en diffère par son feuillage très finement découpé qui lui donne l'allure des aiguilles de sapin. De toute manière, s'il y avait confusion, ce ne serait pas une bien grosse affaire, car ipomée rouge et ipomée cardinale sont tout aussi intéressantes pour le jardin.

… pour son feuillage fin, comme des petits doigts de fées, et ses fleurs d'un rouge écarlate, très voyantes, même si elles sont de plus petite taille que celles de la gloire du matin, sa proche cousine.

Pseudogynoxys chenopodioides

J'aime cette plante…

… car j'aime la couleur orange. Je planterais des fleurs de couleur orange partout. Elles sont si joyeuses! C'est une plante relativement nouvelle sur le marché québécois, mais elle a fait ses preuves.

Aussi connu des amateurs de nom latin comme *Senecio confusus*, ce qui est beaucoup plus facile à prononcer que *Pseudogynoxys*, le séneçon orange se comporte davantage comme une plante retombante qu'une véritable grimpante. Il est originaire de Colombie où il se comporte en liane ou en arbuste grimpant. Même s'il peut atteindre plus de six mètres là où il fait chaud, sous notre climat, il dépasse rarement un ou deux mètres… avec l'aide de quelques attaches.

Le séneçon est une plante de la famille des composées, avec ses grappes de fleurs en forme de marguerites, orange vif, tournant à l'écarlate lorsqu'elles sont plus âgées. Les feuilles, légèrement succulentes, rappellent celles du lierre allemand. Plutôt foncé, ce feuillage permet un beau contraste avec les fleurs de couleur vive.

SOUS LE CIEL DES TROPIQUES

Les séneçons orange doivent être achetés en plants. Une fois mis en terre, ils s'accordent deux ou trois semaines de repos avant d'émettre des pousses nouvelles. Patience! Une fois remis de leur torpeur, ils se développent rapidement.

Ce sont des plantes de plein soleil, mais de sol bien arrosé. Elles tolèrent l'ombre légère, où elles fleurissent cependant avec moins de générosité. Les séneçons résistent très bien, pour ne pas dire qu'ils la recherchent, à la chaleur. On les plante dans des sols riches, allant de légèrement acide à légèrement calcaire. Une fertilisation hebdomadaire n'est pas de trop. Les insectes et les maladies les ignorent.

Puisque la floraison a souvent lieu au bout des tiges, il est recommandé de pincer les tiges des plants fournis sur différentes longueurs afin de répartir la floraison plus uniformément. On pratique cette opération en tout début de saison.

Dès qu'arrivent les froids, le séneçon orange succombe. Il faut donc, par prudence, l'empoter et le rentrer à l'intérieur pour l'hiver. On peut aussi prélever des boutures de tiges en août. À l'intérieur, il doit être placé au bord d'une fenêtre ensoleillée, dans une pièce fraîche (10 à 15 °C), afin qu'il poursuive sa croissance durant l'hiver. On lui accorde des arrosages réguliers et une demi-dose mensuelle d'engrais. En mars ou avril, on rabat la plante de moitié afin de favoriser le développement d'un plant fourni. Celui-ci est remis à l'extérieur lorsque tout risque de gel est écarté.

FAUSSE GRIMPANTE

Le séneçon est davantage une plante à faire retomber qu'une plante à faire grimper. Seules des attaches lui assurent une croissance verticale. Sujet parfait pour draper une boîte aux lettres ou pour retomber d'un muret, il peut aussi être planté dans une jardinière suspendue. Accrochée dans un arbre, on laisse la plante retomber, mais aussi s'entortiller le long des branches.

Cultivé en contenant, le séneçon orange accompagne bien l'angélonia (*Angelonia angustifolia* 'Angel Face Blue'), l'asclépiade à fleurs orange (*Asclepias curassavica*), le plumbago (*Plumbago auriculata*) ou les lantanas (*Lantana camara*).

CONSEIL D'EXPERTE

Le pinçage est une pratique qui consiste simplement à raccourcir des tiges en coupant l'extrémité. Généralement, cette opération se fait avec les doigts, d'où le nom. Dans le cas des tiges plus rigides, on utilise les ciseaux ou le sécateur. Le pinçage encourage le développement des pousses secondaires et fait ramifier les plants. Pratiquez-le lorsque la plante prend trop d'espace, qu'elle se dégarnit ou que la floraison n'est pas assez abondante.

Ascension
vers la
bouche

MES PLANTES GRIMPANTES
COMESTIBLES PRÉFÉRÉES

Petits pois
'Sugar Snap'   30

Kiwi rustique 'Issai'   32

Vigne à raisin
'Prairie Star'   34

Vigne à raisin
'Canadice'   36

Haricot d'Espagne
'Painted Lady'   38

Épinard
de Malabar rouge   40

C'EST SANS DOUTE la sélection la plus utile de ce livre, puisqu'en plus d'être grimpantes et jolies, ces plantes fournissent de quoi se régaler! De nombreuses plantes grimpantes produisent des fruits comestibles ou des produits alimentaires. La vanille par exemple (voir la section «Bizarre, bizarre»), cette orchidée des pays chauds, est une magnifique plante grimpante qui produit de longues gousses d'où on extrait une essence tant appréciée. Nul besoin de présenter les haricots et les pois du jardin potager.

Le grand plaisir avec les fruits comestibles, c'est qu'ils peuvent souvent être dérobés au passage. On tend le bras, on tâte le fruit et hop! Plongeon vers la bouche! Ce sont ces petits détails qui rendent les jardins si animés. De plus, parce que ce sont des plantes grimpantes, nul besoin de s'accroupir à quatre pattes. Tout est à portée de main.

Bien sûr, certains fruitiers grimpants sont réputés pour lutter pour leur survie chaque hiver, mais les nouveaux cultivars, tant chez les vignes à raisin que du côté des kiwis rustiques, promettent des fruits de plus en plus savoureux sur des plants de plus en plus rustiques.

La comestibilité ne se limite pas qu'aux fruits. Les feuilles de la vigne à raisin et les fleurs des capucines grimpantes peuvent aussi être consommées tout comme les feuilles de cet intrigant épinard de Malabar. Ces plantes ont beaucoup à offrir, tant pour le jardin... que pour l'estomac.

Épinard de Malabar rouge

Petits pois 'Sugar Snap'

PISUM SATIVUM 'SUGAR SNAP'

J'aime cette plante…

… pour le grand plaisir de la vie que j'en retire: celui de manger des petits pois frais dérobés à même les plants. Si cela n'était que de moi, je sèmerais des petits pois partout. Je n'ai jamais assez de petits pois.

EXCESSIVEMENT RARES dans les épiceries et presque autant dans les marchés publics, les petits pois frais ont une saveur qui ne ressemble en rien à ces petites perles d'un vert jaunâtre, noyées et emprisonnées dans des boîtes de conserve. Les petits pois sont les légumes parfaits pour initier les enfants au jardinage. Faciles à semer et de croissance rapide, ils sont faits pour être chapardés au passage.

GRIMPANT OU PAS

Les variétés de pois doivent être choisies avec attention, car elles ne sont pas toutes grimpantes. Certains cultivars comme 'Homesteader' dépassent à peine 45 cm de hauteur. Tout jardinier curieux est impressionné par les gousses violettes du pois 'Blue Pod Capucijners' ou les gousses jaunes du pois 'Golden Sweet', deux belles variétés grimpantes, mais côté goût et vigueur de croissance, c'est le petit pois 'Sugar Snap' qui l'emporte haut la main.

QUELQUES AUTRES VARIÉTÉS DE PETITS POIS GRIMPANTS

- *P. s.* 'Blue Pod Capucijners'
- *P. s.* 'Golden Sweet'
- *P. s.* 'Green Arrow'
- *P. s.* 'Spanish Skyscraper'
- *P. s.* 'Tall Telephone'

Cette variété, qui a été créée il y a près de trente ans, a reçu une médaille d'or All-America Selection en 1979. Ce n'est donc pas sans raison qu'elle est encore très présente sur le marché des semences. C'est une des variétés les plus vigoureuses et elle atteint fréquemment plus de deux mètres de hauteur, cela en un temps record. C'est aussi une plante très productive, dont le fruit, le petit pois, est tout simplement savoureux. Selon les préférences, on peut consommer les jeunes gousses encore aplaties comme pois mange-tout, récolter les gousses bien gonflées pour les petits pois frais ou les laisser sécher jusqu'en septembre pour récolter les pois secs, ingrédients obligatoires de la traditionnelle soupe aux pois.

COLLÉS, COLLÉS

Les pois poussent bien au plein soleil ou à la mi-ombre, dans un sol idéalement riche et bien drainé. Les sols un peu plus pauvres conviennent aussi. Les pois demandent très peu de soins et peuvent pousser à peu près tout seuls, mais les arrosages réguliers et une fertilisation toutes les deux semaines augmentent la productivité.

Les pois se multiplient par semis seulement. Grands amateurs de températures fraîches, on a tout avantage à les semer très tôt dans le jardin, le premier avril si cela est possible. En fait, à partir du moment où la neige s'est retirée et que le sol est friable, il est possible de mettre les graines en terre. On peut laisser seulement deux centimètres d'espace entre chacune

des semences sans réduire le rendement. Aussi, les plants s'agrippent les uns aux autres, ce qui assure un meilleur soutien. Les graines, semées à 2,50 cm de profondeur, mettent de 7 à 14 jours pour germer.

Les plants demandent un support sur lequel les vrilles peuvent s'enrouler. Le diamètre du treillis ou du support ne doit donc pas excéder le diamètre d'un petit tuteur de bambou. La ficelle, les treillis de corde ou de plastique, ou même des structures faites de branches, offrent de bonnes possibilités.

Les pois ne connaissent à peu près aucun ennemi. Les jeunes semis sont parfois touchés par des gels trop sévères (en bas de -5 °C) et imprévus, ce qui fait jaunir quelques feuilles, mais les plants se relèvent vite de cette épreuve.

Kiwi rustique 'Issai'

ACTINIDIA ARGUTA 'ISSAI'

J'aime cette plante...

… pour ces petits fruits que l'on gobe à la volée et pour son extrême facilité de culture. C'est une plante fruitière dont personne ne devrait se passer. Même lorsque la production de fruits est maigre, le feuillage et l'allure de la plante sont là pour nous consoler.

LONGTEMPS A-T-ON CRU que les kiwis étaient exotiques et qu'on ne pouvait se les procurer qu'en provenance de la Nouvelle-Zélande. Tout faux, enfin, presque tout faux. Les kiwis rustiques ne donnent pas, malheureusement, des kiwis gros comme dans le commerce (*Actinidia deliciosa*), eux qui survivent à peine à des températures oscillant autour de –10 °C. Les kiwis rustiques, *Actinidia arguta*, produisent des fruits beaucoup plus petits, mais tout aussi savoureux et ils sont parfaitement rustiques en zone 4b.

De prime abord, les kiwis sont des lianes ligneuses dont les tiges s'entortillent entre elles et s'enroulent autour des supports. Avec un peu d'aide, les kiwis rustiques sont capables d'entourer un poteau de balustrade, ce qui laisse sous-entendre que le diamètre du support peut avoir jusqu'à 30 cm de diamètre. Excepté après des hivers particulièrement rigoureux, les feuilles réapparaissent au printemps sur toute la longueur des tiges. Le feuillage est vert en forme de cœur, un peu luisant. Sans caractéristiques particulières, il demeure intéressant et décoratif.

TROP DISCRÈTE

La floraison des kiwis se manifeste vers le milieu de juin. Dissimulées sous le feuillage, les petites fleurs blanches, agréablement parfumées, donnent naissance à des fruits, des kiwis miniatures de la taille d'un gros raisin. Les fruits sont prêts à être mangés vers le mois de septembre, mais sont beaucoup plus sucrés s'ils ont subi un premier gel. On les consomme en une bouchée, sans enlever la pelure. Les jardiniers ne sont pas les seuls à surveiller la production fruitière, car les oiseaux apprécient eux aussi ses fruits.

Le cultivar 'Issai' a la particularité d'être autoféctond, ce qui signifie qu'il n'est pas nécessaire de posséder un plant mâle et un plant femelle afin d'obtenir des fruits. Un seul plant suffit. La majorité des autres variétés de kiwis sont par contre des plantes dioïques, ce qui veut dire qu'il y a des plants femelles et des plants mâles distincts. Dans ce cas, il est nécessaire de cultiver un plant mâle pour sept plants femelles. Un vrai harem !

Seul défaut, la production n'est pas fidèle et on n'est pas assuré d'avoir d'une année à l'autre la présence de fruits.

SANS SOUCI, TOUT EN VIGUEUR

La plantation des kiwis est très aisée. Un sol bien drainé, enrichi de compost, dans un emplacement ensoleillé leur convient. Une fois mis en terre, les plants peuvent prendre deux ou trois ans avant de «se réveiller» et de se mettre à s'enrouler avec vigueur vers le ciel. Une tige peut atteindre deux ou trois mètres de longueur en une seule saison. La plante gagne donc parfois des proportions importantes, dépassant les quatre mètres, tant en largeur qu'en hauteur. Si plus d'un plant est cultivé, on espace les sujets d'un mètre et demi à deux mètres.

IDÉE NOUVELLE

Puisque le système radiculaire des kiwis rustiques est peu envahissant, il est possible de cultiver quelques plants au bout du potager, adossés à une clôture de perches de cèdre, par exemple. Vous pouvez aussi tapisser le sol à leur pied de plants de fraisiers afin de maximiser l'utilisation de l'espace.

Vigne à raisin
'Prairie Star'

Vitis hybrida 'Prairie Star'

CONTRAIREMENT AUX MYTHES qui les entourent, les vignes à raisin sont de plus en plus faciles de culture. Oui, elles exigent des tailles particulières (voir page 164 pour plus de détails sur le sujet) pour obtenir une production fruitière maximale, mais, même sans taille, les vignes à raisin sont capables de produire des fruits en quantité intéressante. Leur autre défaut était leur faible rusticité, ce qui exigeait une protection hivernale de la base des plants par buttage. Ce problème aussi est résolu avec les variétés

La vigne se multiplie facilement par bouturage de bois ligneux. Entre la chute complète des feuilles en automne et avant la sortie des nouvelles pousses au printemps, prélevez des portions de tiges du diamètre d'un crayon, portant deux ou trois bourgeons. Conservez les boutures au réfrigérateur dans un sac hermétique, jusqu'au printemps. Plantez-les ensuite dans une tranchée sablonneuse, en ne laissant dépasser que le bourgeon terminal.

de climat nordique qui font lentement, mais sûrement, leur entrée sur le marché. La vigne 'Prairie Star' est rustique en zone 5a.

L'HOMME QUI PLANTAIT DES VIGNES

Adieu vignes à raisin 'Beta' et 'Eona', au goût suret. Le cultivar 'Prairie Star', comme bien d'autres introductions récentes, produit des raisins sucrés et assez gros. Les grappes allongées sont parées de perles roses, un peu vertes, un peu ambrées. C'est un raisin qui est cultivé à grande échelle dans la production de vin blanc. Cette variété a été créée dans le Wisconsin par le viticulteur Elmer Swenson. Ce dernier est aussi l'hybrideur des variétés 'Kay Gray' et 'St-Croix', deux autres très bonnes vignes à raisin de climat nordique. Comme bien des hybrides développés par Elmer Swenson, 'Prairie Star' est un croisement entre des vignes européennes et des vignes indigènes en Amérique. L'objectif premier de l'hybrideur était de créer des raisins de qualité sur des plants très rustiques.

PLANTONS DES VIGNES

Les vignes recherchent des emplacements très ensoleillés. Elles aiment la chaleur et la lumière. Elles ont l'avantage d'exiger peu du sol. Un sol plus ou moins riche, ou même pauvre, convient très bien à leur culture. Le sol peut être graveleux, sablonneux ou argileux. En sol lourd, on cultivera la vigne en plates-bandes surélevées, car un bon drainage de l'eau est indispensable. Les racines des vignes redoutent les terrains détrempés, même de façon passagère. Le pH idéal pour la culture de la vigne se situe entre 6,0 et 6,5. On évite aussi les endroits très venteux.

QUELQUES SOINS

Au cours de la première année, les vignes nouvellement plantées ne doivent pas souffrir de sécheresse. Il est très important d'arroser régulièrement, sans excès, surtout dans les sols très drainants. Une application de fertilisant granulaire riche en phosphore, une fois au printemps, une taille adaptée et les voilà parties. Le cultivar 'Prairie Star' ne demande aucune protection hivernale.

Comme pour toutes les vignes à raisin, il ne faut pas espérer une production fruitière avant la troisième ou la quatrième année de culture. Ces premières années de plantation servent à former la plante, idéalement en éventail à deux troncs. Plus les années passent, plus la vigne 'Prairie Star' produit des fruits avec régularité.

PETITES BIBITTES

Il serait faux de dire que la vigne n'est la victime d'aucun insecte nuisible ni d'aucune maladie. Nombreux sont les parasites qui lorgnent du côté de cette plante. Toutefois, les insectes qui l'attaquent ne créent pas de dommages importants. Quant au blanc et au mildiou, le fait de planter la vigne au plein soleil assèche le feuillage et réduit les risques de maladies. La vigne 'Prairie Star' est un peu sensible à la maladie du blanc.

J'aime cette plante...

... car elle fait partie d'une nouvelle vague de vignes à raisin très rustiques et dont les fruits sont particulièrement sucrés.

Vigne à raisin
'Canadice'

Vitis hybrida 'Canadice'

J'aime cette plante...

… qui, même si les fruits sont tout petits, donne des raisins très sucrés et surtout sans pépins.

Un peu moins rustique que les vignes à raisin 'Prairie Star', 'Kay Gray', 'Montreal Blues' ou 'St-Croix', la vigne à raisin 'Canadice' produit tout de même des raisins au goût très sucré, avec «beaucoup de personnalité», diront les experts. C'est aussi un des rares raisins sans pépins que l'on peut cultiver sans peine au Québec. Les fruits sont rouges et disposés sur des grappes allongées. Cet hybride a été créé aux États-Unis dans les années soixante-dix.

Des feuilles, c'est bien ; des fruits, c'est mieux

Comme toutes les vignes, celle-ci peut atteindre plus de six mètres de hauteur, ce qui en fait un sujet parfait pour envelopper les arches et les tonnelles. Décoratif et original, le feuillage de la vigne est déjà fort satisfaisant et remplit bien son rôle de couverture foliaire. Il tapisse les surfaces avec facilité. Cela dit, les vignes sont habituellement cultivées sur des fils de fer tendus à 60, 100 et 150 cm du sol. Même si la vigne dispose de vrilles puissantes, on suggère d'attacher les tiges en quelques points pour diriger sa croissance.

Une vigne non taillée donne une petite production de fruits, mais, pour augmenter le rendement, il faut faire le choix difficile de limiter le développement de la vigne, ce qui se fait par la taille. Son principe est basé sur le fait que les fleurs, qui apparaissent au printemps, sont généralement placées sur les branches tertiaires. Aussi, il est rare d'avoir une production de fruits avant la troisième ou quatrième année de culture au jardin. Une patience qui est récompensée par une production régulière et de plus en plus généreuse par la suite.

Conseil d'experte

Lorsque le raisin commence à prendre forme, retirez tout le feuillage et les sarments qui bloquent le passage du soleil. Nourri de cette chaude lumière, le raisin grossit et se colore. Le soleil fait aussi augmenter le taux de sucre dans les fruits. Miam !

Moins rustique

La vigne à raisin 'Canadice' survit à l'hiver en zone 5b sans protection hivernale. Toutefois, par précaution, il est recommandé de protéger la base des plants. Ceci peut se faire par buttage, en ensevelissant le pied avec quelques pelletées de terre. On a aussi la possibilité d'entourer la base d'un cône à rosier, découpé pour accommoder la forme du plant. On peut aussi balayer un tas de feuilles d'automne au pied de la vigne, à la condition que celles-ci soient retirées très tôt au printemps.

Peu exigeante

Les vignes ne sont pas particulièrement friandes des sols très riches. Au contraire, elles affectionnent des sols légèrement riches, parfois lourds, parfois pauvres, tant que le drainage est excellent. En sol lourd, il faut donc cultiver ces vignes en plate-bande surélevée. Elles ne supportent pas l'eau stagnante. On plante les vignes au plein soleil, ce qui est nécessaire à la production fruitière. On choisit aussi un emplacement à l'abri des vents violents.

La vigne 'Canadice' est peu affectée par les maladies fongiques, comme le blanc ou le mildiou. C'est aussi un cultivar résistant aux *Phylloxera vastatrix*, des pucerons qui occasionnent des malformations du feuillage et qui endommagent les racines.

Haricot d'Espagne
'Painted Lady'

PHASEOLUS COCCINEUS 'PAINTED LADY'

J'aime cette plante…

… pour ces fleurs bicolores qui nous changent du traditionnel rouge écarlate du cultivar 'Scarlet Runner'. Les haricots d'Espagne sont très faciles de culture et sont parfaits pour les jardins des enfants.

COMME PLANTE FACILE de culture, on ne peut faire mieux. Les haricots d'Espagne se sèment directement à l'extérieur, entre la mi-mai et la fin de juin, dans un sol plus ou moins riche et bien drainé, sans plus. On peut aussi les semer à l'intérieur, à la fin avril, dans des contenants individuels, mais leur culture directement à l'extérieur est si simple qu'elle ne justifie pas un semis intérieur.

Les haricots d'Espagne poussent à une vitesse faramineuse. Peu importe le support de culture, ils en atteindront le sommet et en mettront plein la vue aux jardiniers avec leur floraison spectaculaire.

UNE VARIÉTÉ ANCIENNE

Le haricot d'Espagne 'Painted Lady' est une plante annuelle qui propose une fleur bicolore, rouge et blanc. Il s'agit d'une variété très ancienne, qui fut cultivée dans les jardins de Thomas Jefferson lui-même, ancien président des États-Unis et l'un des auteurs de la Déclaration d'indépendance de ce pays.

Les haricots d'Espagne sont très souvent cultivés comme plante ornementale, tant leur floraison est intéressante, mais il ne faut pas oublier que ses légumes fruits sont comestibles. Les grosses gousses vertes atteignent 10 à 15 cm de longueur. L'idéal est de les consommer à un jeune stade, car elles sont alors plus tendres et plus sucrées.

Comme c'est une variété assez rare sur le marché et plutôt difficile à se procurer, le Programme semencier du patrimoine Canada lui a accordé un statut d'espèce menacée. Chaque jardinier est donc invité à isoler ce haricot des autres espèces et cultivars afin de préserver la pureté de la variété et de pouvoir récolter des semences en vue de sa sauvegarde.

Rien n'est plus simple que de récolter des semences. Il suffit de laisser quelques gousses de haricots sécher à même la plante. Une fois bien sèche, on récolte les semences et on les entrepose dans un contenant hermétique, dans un endroit sec et sombre. Les semences peuvent se conserver plus de six ans. Ces graines, en plus de servir aux semis des années suivantes, peuvent être offertes à d'autres jardiniers désireux de multiplier et de sauvegarder cette variété en voie de disparition. Voilà comment on redonne vie à une plante au bord de l'extinction.

UNE PLANTE AUTONOME

Les haricots d'Espagne affectionnent le plein soleil et la chaleur nécessaire à la croissance et à la floraison. Ceci n'empêche pas ces légumes annuels d'être semés à l'ombre. Ils produisent alors un plant plus aéré, mais tout de même décoratif.

Les haricots se cultivent dans un sol plus ou moins riche, meuble et légèrement acide. Ils n'ont besoin que d'un arrosage soutenu jusqu'au moment de la germination, qui se produit 7 à 14 jours après le semis, lorsque le sol est suffisamment réchauffé. Par la suite, ces plantes résistent bien aux privations d'eau, même si des arrosages réguliers donnent des plants plus fournis et plus productifs. L'engrais s'avère presque inutile pour cette plante de la famille des légumineuses, capable de fixer elle-même l'azote nécessaire à sa croissance.

Occasionnellement, les haricots d'Espagne sont victimes du scarabée du rosier, ce grand coléoptère vert qui grignote les feuilles. En petit nombre, il est facile de les récolter et de les noyer dans une eau savonneuse.

Épinard de Malabar rouge

BASELLA ALBA 'RUBRA'

J'aime cette plante…

… pour ses feuilles comestibles, plus faciles à cultiver que des épinards, qu'elle produit du printemps à l'automne. Sans compter qu'on peut la récolter en grande quantité tant la plante a une croissance vigoureuse.

L'ÉPINARD DE MALABAR rouge, ou baselle rouge, est presque une curiosité du jardin. La plante produit d'épaisses feuilles luisantes, croustillantes, qui rappellent celles des épinards. À l'aisselle de ces feuilles apparaissent des grappes de fleurs, de texture cireuse à pointe rose bonbon, qui ne s'épanouissent jamais vraiment. Sur l'espèce, les fleurs sont blanches. Par la suite, ces fleurs donnent naissance à d'aussi étranges fruits noirs, bombés et luisants. Tout ceci sur une plante annuelle, aux tiges volubiles pourprées, d'une grande vigueur. En moins d'un mois, elle s'enroule et gravit un étage. Au meilleur de sa forme, un plant peut atteindre trois mètres de hauteur et plus d'un mètre en largeur. Soleil et chaleur font rougir le feuillage, ce qui ajoute à l'intérêt pour cette plante annuelle originaire du sud de l'Inde.

MIEUX QUE LES ÉPINARDS

Son nom laisse évidemment sous-entendre que les feuilles sont comestibles et elles le sont. Elles ont la saveur des épinards et peuvent même les remplacer dans les salades, les quiches et les plats végétariens. Cuites ou crus, elles remplacent aussi les bettes à carde avec succès. En somme, cette plante grimpante est plus intéressante que les véritables épinards, car elle pousse vigoureusement, que le temps soit frais ou chaud. Comme on le sait, des températures trop chaudes stoppent la croissance des épinards et les encouragent à monter en graines. L'épinard de Malabar rouge ne présente pas cette contrainte.

SEMENCES RARES

On peut assez facilement se procurer des plants d'épinard de Malabar rouge sur le marché, mais il est aussi possible de les produire par semis, si on réussit à obtenir des semences, car elles sont peu présentes dans le commerce. Les semis sont faits à l'intérieur vers la mi-avril.

Dès que les risques de gels sont écartés, les épinards de Malabar rouges peuvent être plantés dans un sol idéalement riche, meuble, neutre, frais et bien drainé au plein soleil ou à l'ombre légère. Cette plante pousse aussi dans des sols plus ou moins riches et de texture différente.

L'épinard de Malabar rouge est une plante qui ne connaît ni insecte, ni maladie, sauf en de rares exceptions les altises, de minuscules coléoptères noirs qui apparaissent en août et que l'on peut repousser avec une solution d'eau savonneuse.

SUR LE PERRON, LA GALERIE OU LE PATIO

L'épinard de Malabar rouge est intéressant en contenant décoratif, cultivé seul dans un pot ou placé en compagnie d'autres légumes et fines herbes. C'est un bon sujet à installer à proximité de la cuisine afin d'y piger quelques feuilles pour les repas. Pour le voir grimper, le plus simple est de lui fournir des ficelles fixées au plafond de la galerie ou un filet contre un mur. Il s'enroule assez facilement autour d'un support d'au plus 2 cm de diamètre.

On peut aussi planter l'épinard de Malabar rouge directement en terre dans le potager ou le jardin, au pied des poteaux ou des treillis. Il ne faut pas hésiter à compléter le tableau avec des cosmos blancs ou quelques soucis du jardin (*Calendula officinalis*).

CONSEIL EXCLUSIF DE L'AUTEURE

Les fruits de l'épinard de Malabar rouge sont comestibles, mais pas particulièrement savoureux. Par contre, ils font une excellente teinture végétale. D'une couleur semblable aux betteraves, les tissus colorés deviennent alors roses ou un peu pourprés.

Élévation Foliaire

MES PLANTES GRIMPANTES À FEUILLAGE DÉCORATIF PRÉFÉRÉES

Houblon 44

Kiwi ornemental 'Arctic Beauty' 46

Bourreau des arbres 'Diane' et 'Hercules' 48

Ampélopsis à feuilles d'aconit 50

Igname 52

LES PLANTES GRIMPANTES n'ont pas besoin d'être spectaculaires et sensationnelles pour jouer un rôle important dans un jardin. De simples feuillages, sans trop d'éclat, conviennent parfaitement à la réalisation d'écrans de verdure contre lesquels viennent s'adosser les autres végétaux du jardin. C'est aussi ces feuillages, souvent denses, qui forment les meilleurs abris contre les regards indiscrets des voisins. Dans les jardins, toujours plus petits, l'intimité se gagne à coup d'ampélopsis et de bourreau des arbres.

Les plantes présentées dans cette section affichent la simplicité et la sobriété comme principales qualités. Cela dit, il faut considérer les pointes rosées du kiwi ornemental 'Arctic Beauty', ou les fruits décoratifs du bourreau des arbres, comme de petits extras. Ce ne sont pas des plantes renversantes, mais leur présence est utile, voire salutaire. Qui peut cacher avec finesse tous les éléments indésirables du jardin? Thermopompe, filtre de la piscine, vieille et horrible cabane de jardin, tas de ferraille au fond du jardin? Quoi de mieux que de les faire disparaître sous les feuillages!

Le feuillage devrait toujours être considéré en premier lieu, avant la floraison et la fructification, car c'est bien lui que l'on a devant soi la plupart du temps. La forme des feuilles, leurs dimensions, leur texture et leurs couleurs, tous ces éléments jouent des rôles primordiaux sur les effets obtenus au jardin. Certains feuillages transpirent la délicatesse, d'autres sont plus grossiers, d'autres encore inspirent l'exotisme.

Leur densité y est aussi pour beaucoup. Recherche-t-on un écran dense ou un arrangement plus léger qui laisse percevoir les structures du support au travers du feuillage? Formel, romantique, contemporain, naturel, comme toute autre plante du jardin, les plantes grimpantes, et leurs supports de croissance, peuvent donner le ton.

Fruits de houblon

Houblon

HUMULUS LUPULUS

J'aime cette plante...

... car elle crée un écran de verdure assez charmant. J'apprécie son style contemporain et la forme particulière de son feuillage.

LE HOUBLON, bien connu comme l'un des ingrédients qui entrent dans la confection de la bière, est aussi une plante grimpante hors pair. Ses tiges volubiles s'enroulent et s'entortillent en suivant la course du soleil et peuvent couvrir d'importantes structures de jardin, comme des pergolas de trois mètres de haut, des tonnelles ou des écrans de treillis. Seules quelques attaches ici et là sont, parfois, nécessaires. C'est aussi une jolie grimpante pour habiller en partie des murs de briques. Elle convient particulièrement aux jardins de ville.

RENAÎTRE DE SES CENDRES

Surtout cultivés pour leur feuillage palmé, vert et rugueux, les plants de houblon femelles produisent une floraison d'épis retombants verdâtres vers la fin de l'été. Leurs tiges sont également rugueuses et cela leur permet de s'agripper sur des parois, sans pour autant leur assurer une position fixe. C'est pourquoi, sur les structures plus grossières, il est conseillé de les fixer à l'aide d'attaches.

Parfaitement rustique en zone 4b, le houblon renaît du sol chaque printemps. Il est sage de ne pas rabattre les tiges mortes au sol à l'automne, car elles servent de support de croissance pour les jeunes pousses du printemps suivant. Autrement dit, la plante aime s'enrouler autour de ses anciennes tiges desséchées.

C'est une plante qui convient à toutes les expositions de lumière. À l'ombre, elle devient moins vigoureuse, mais cela lui donne un certain charme. Différents types de sols lui conviennent également, bien qu'elle ait une préférence pour les sols meubles et riches. Dans son milieu naturel, puisqu'elle s'échappe parfois de culture, on l'observe aux abords des berges inondables, entortillée entre les plantes de rivage des cours d'eau. La fertilisation s'avère inutile, mais ne peut pas nuire.

On multiplie le houblon facilement par division ou par bouturage. La division se fait tôt au printemps lorsque les jeunes pousses ont moins de 10 cm de long, alors que les boutures sont prélevées au mois d'août et placées dans un substrat humide.

UN ENNEMI JURÉ

Quelques insectes s'intéressent au houblon, mais c'est la noctuelle du houblon qu'il faut surveiller de près. Elle produit une première génération vers la mi-juin et une seconde à la mi-juillet. Ces petites chenilles vertes d'au plus 1,50 cm de long se cachent habituellement sous la feuille, le long de la nervure centrale. Elles se fondent dans le paysage et deviennent difficiles à détecter.

Leur présence est repérable sur les très jeunes feuilles, à peine ouvertes. Elles peuvent grignoter des feuilles entières, à l'exception des nervures. La seconde génération crée habituellement plus de dommages que la première. Il est donc important de contrôler la première, pour empêcher la seconde! Habituellement peu nombreuses, on peut les récolter à la main et les noyer dans une eau savonneuse. On peut aussi les repousser avec un insecticide à faible impact, tel que ceux utilisés contre les pucerons.

CONSEIL DE L'AUTEURE

Ce sont les fruits des houblons femelles qui sont utilisés pour aromatiser la bière. Bien que ceux-ci produisent des fruits intéressants, les fabricants de bière artisanale ont recours à des variétés spécialement développées dans ce but, avec un taux d'amertume plus ou moins élevé. Les cultivars 'Cascade', 'Mount Hood', 'Nugget' et 'Willamette' sont excellents pour la confection de la bière.

Kiwi ornemental
'Arctic Beauty'

Actinidia kolomikta 'Arctic Beauty'

J'aime cette plante…

… pour son feuillage aux couleurs originales. Même si elles sont rares, petites et discrètes, les fleurs possèdent un parfum envoûtant.

Le kiwi ornemental est principalement cultivé pour son feuillage décoratif. Le cultivar 'Arctic Beauty' est une sélection particulièrement colorée. L'extrémité des feuilles en forme de cœur est teintée de rose et de blanc comme si les pointes de celles-ci avaient été trempées dans un décolorant.

Feuille ou fleur ?
Là est la question.

La floraison des kiwis ornementaux a lieu au début de juin et ne dure que quelques jours. Elle est souvent cachée par le feuillage, ce qui laisse croire que la plante ne fleurit pas. Les plants femelles donnent peut-être naissance à de petits fruits comestibles, mais ce sont les plants mâles qu'il faut cultiver pour profiter du feuillage coloré, car les sujets femelles sont entièrement verts.

Du panache au soleil

Le kiwi ornemental a l'avantage de pousser tant au soleil qu'à l'ombre la plus dense, mais c'est en position ensoleillée que le feuillage révèle ses plus belles panachures. Le soleil intensifie également les tons de rose qui se manifestent davantage en fin d'été.

Très rustiques en zone 4a, les kiwis ornementaux ont une préférence pour les sols neutres, avec un pH autour de 7. Ils affectionnent les sols frais, riches et bien drainés, mais ne refusent pas de pousser avec vitalité dans des sols sablonneux, plutôt pauvres et très alcalins.

Après la plantation, le kiwi ornemental peut prendre quelques années avant de se développer avec vigueur et seule la patience aura raison de ce départ en douceur. Une application de fertilisant granulaire organique à la sortie des feuilles au printemps améliore sa vigueur. Le kiwi ornemental 'Arctic Beauty' n'est la victime d'aucun insecte ravageur ou de maladie d'importance.

Pour encourager une meilleure coloration du feuillage, beaucoup d'hypothèses sont émises, mais peu de faits sont vérifiés. On suppose que l'ombre et une surfertilisation atténuent la coloration du feuillage. À l'opposé, on présume que les sols calcaires et la maturité de la plante intensifient la coloration.

Les kiwis ornementaux possèdent des tiges ligneuses résistantes au froid et les feuilles réapparaissent habituellement jusqu'au bout des tiges. Ils ne réclament aucune taille particulière. On peut tailler, au besoin, afin de contrôler et de diriger la croissance. Cette opération s'effectue n'importe quand durant la belle saison.

Enrouleur enjôleur

Le kiwi ornemental a la capacité de s'entortiller autour de poteaux de 12 cm de diamètre. Il y arrive à peu près seul, mais quelques attaches ici et là facilitent son ascension. Il lui est plus facile de grimper sur un support rigide, fait de tiges de bois ou de fer, que sur un support souple comme les filets et la ficelle. Après quelques années, un plant atteint facilement six ou sept mètres de hauteur et trois mètres en largeur, ce qui en fait un bon écran pour les grandes surfaces.

La croissance vigoureuse des kiwis ornementaux en fait de bons sujets pour façonner des écrans végétaux. Ils conviennent également aux grandes pergolas et aux tonnelles, aux patios et aux clôtures. On peut planter à leurs pieds, un jardin de fleurs roses afin de rehausser la couleur de leur feuillage. Ceux-ci sont aussi satisfaisants pour habiller un arbre mort ou camoufler tout ce qu'il y a de désagréable à voir dans un jardin.

À DÉCOUVRIR

Arrivés tout droit de Russie, de nombreux cultivars d'*Actinidia kolomikta* sont présentement à l'essai, pas pour le feuillage, mais pour les fruits! De la même taille, ils sont plus abondants et la production est régulière. Il s'agit des cultivars 'Pozodanaya', 'Krupnoplodnaya', 'Nahodka' et 'Matovnaya'.

Bourreau des arbres
'Diane' et 'Hercules'

CELASTRUS SCANDENS 'DIANE' ET 'HERCULES'

J'aime cette plante...

... pour sa vigueur à toute épreuve. Les bourreaux des arbres sont capables d'engloutir des structures imposantes, même dans des conditions de culture difficiles.

SON NOM COMMUN dit vrai. La plante s'entortille et s'enroule si fort autour de ses supports que ceux-ci deviennent victimes de sa poigne d'enfer. Les bourreaux des arbres sont effectivement capables de couper la circulation de la sève d'une plante autour de laquelle ils s'entourent. Inutile cependant de s'alarmer, on peut cultiver les bourreaux des arbres près des autres végétaux du jardin sans être complice d'un assassinat. Il suffit de surveiller et de contrôler leur expansion.

HERCULES ET DIANE, INSÉPARABLES

Les bourreaux des arbres sont des plantes dioïques, ce qui signifie qu'il existe des plants mâles, comme 'Hercules', et des plants femelles, comme 'Diane'. Il est intéressant de cultiver les deux genres, un mâle pour deux femelles, afin de profiter de la fructification décorative de ces dernières.

Ces fruits sont de petites baies écarlates enveloppées dans des capsules jaune orangé. Ils demeurent décoratifs en automne comme en hiver et font la joie des oiseaux. Les fruits sont accompagnés en automne d'un feuillage qui prend une coloration jaune doré. Mis à part ce décor automnal, la plante n'a rien de spectaculaire. Le feuillage est entièrement vert, en forme de cœur, mais il crée un fond de verdure uniforme parfait pour rehausser le reste de l'aménagement. La floraison est discrète, blanche, et a lieu vers la fin de juin.

LA SOLUTION AU JARDIN DE CONTRAINTES

Au grand bonheur des jardiniers qui œuvrent sur des terrains qui comprennent de nombreuses contraintes, les bourreaux des arbres s'adaptent à de multiples conditions de culture difficiles. Bien rustiques jusqu'en zone 3a, ils tolèrent les sols secs à légèrement humides, les sols pauvres et poussent aussi bien en sol sablonneux qu'en sol lourd. Leur préférence va vers les sols riches, meubles, frais, bien drainés et légèrement acides. Les bourreaux des arbres affectionnent les emplacements ensoleillés, mais ne dédaignent pas les sites légèrement ombragés.

Ce sont des plantes qui requièrent très peu de soins. Ignorés des insectes ravageurs et des maladies, les bourreaux des arbres ne nécessitent aucune taille particulière, sinon celle de contrôler les tiges orientées dans la mauvaise direction.

POUR GRANDS SEULEMENT

Les plantes atteignent aisément dix mètres de haut et plus de deux mètres de large. Avec le lierre de Boston et la vigne vierge, ce sont des plantes grimpantes à très grand déploiement. Les bourreaux des arbres conviennent donc aux grands espaces, aux grandes tonnelles et aux grandes pergolas. Les clôtures, qu'elles soient en bois ou en grillage métallique, verdiront sous leur emprise. Pour couvrir les murs, il sera toutefois nécessaire de leur offrir un système de treillis, des fils de fer ou quelques attaches. Enfin, les bourreaux des arbres sont des plantes parfaites, qu'on peut laisser courir au fond du jardin pour dissimuler un tas de compost ou une aire de travail.

SECRET DE JARDINIÈRE

De nombreuses plantes grimpantes offrent un intérêt pour les amateurs d'oiseaux. En plus des fruits persistants des bourreaux des arbres 'Diane', les oiseaux seront attirés par les baies des vignes vierges, des kiwis ornementaux et des vignes à raisin. Quant aux chèvrefeuilles grimpants, aux ipomées rouges et aux passiflores, ils sont prisés par les colibris à gorge rubis.

AMPELOPSIS ACONITIFOLIA

J'aime cette plante…

… pour son fin feuillage et sa grande vigueur. Les jeunes plants sont très délicats et les plus matures peuvent couvrir densément les surfaces. Bref, une délicate densité!

ASSEZ RARES SUR LE MARCHÉ et donc sous-utilisés, les ampélopsis sont de proches cousins de la vigne vierge et de la vigne à raisin. Ce sont des plantes grimpantes à moyen déploiement et à feuillage dense. Les ampélopsis à feuilles d'aconit peuvent couvrir plus de six mètres tant en hauteur qu'en largeur. Cela dit, les plantes sont à la fois délicates par la forme de leurs feuilles particulières et de leurs tiges minces et glabres. Le feuillage lustré et profondément lobé rappelle en effet celui de l'aconit. À lui seul, il présente un intérêt rehaussé par la fructification.

BELLES BAIES

En été, l'ampélopsis à feuilles d'aconit produit des fleurs peu intéressantes, jaune verdâtre, qui laissent place à des baies vertes qui tournent au jaune, puis au brun. Elles sont très décoratives, surtout en automne, quand le feuillage prend une coloration jaune et que les tiges, elles, restent teintées de rouge. Ces fruits sont évidemment très aimés des oiseaux.

FAIRE DANS LA FACILITÉ

La plante s'adapte à une palette de conditions de culture. Elle se plaît en sol pauvre ou riche, au soleil ou à l'ombre tamisée. L'ampélopsis a tout de même une préférence pour les sols légèrement riches et bien drainés. Elle pousse aussi bien au plein soleil que dans les endroits ombragés. Les sols trop humides et mal drainés ne lui conviennent pas.

CONSEIL D'EXPERTE

Rien de mieux que des plantes grimpantes pour habiller des murs pas trop jolis. Plantez ces végétaux à au moins 30 cm de ceux-ci. Les gouttières et le drainage autour des maisons les protègent des infiltrations d'eau en gardant le sol très sec. Un avantage pour la maison, mais un inconvénient pour les plantes, qui, elles, ont besoin d'eau pour se développer. En éloignant les plantes grimpantes de cette zone aride, elles peuvent capter une partie de l'eau de pluie et croître de manière plus indépendante.

Originaire du nord de la Chine, cet ampélopsis est parfaitement rustique en zone 4a, ce qui rend encore plus incompréhensible son absence sur le marché. C'est en tout point une plante fiable, peu menacée par les insectes nuisibles et les maladies.

La taille peut se pratiquer tout au long de la belle saison. Elle se limite à enlever quelques branches ici et là pour diriger la croissance de la plante. On peut aussi choisir d'éclaircir l'ampélopsis, c'est-à-dire de retirer une partie des tiges, pour donner un aspect plus aéré et délicat. Il tolère même les tailles sévères.

UN AUTRE COUVRE-TOUT

L'ampélopsis à feuilles d'aconit s'agrippe à l'aide de vrilles. On doit donc lui offrir un support sur lequel il peut s'accrocher. Il garnit n'importe quelle structure de jardin sans effort. Il est particulièrement à sa place contre les clôtures rustiques et les murets de pierres, mais orne aussi bien les tonnelles, les clôtures métalliques et les treillis. De plus, l'ampélopsis à feuilles d'aconit fait une bonne plante tapissante que l'on peut laisser cascader sur le dessus d'un muret ou se propager au fond du jardin d'ombre.

Igname
DIOSCOREA BATATAS

J'aime cette plante…

… car c'est un ajout intéressant et différent au jardin potager. J'aime la forme des feuilles et des nouvelles pousses légèrement teintées de bronze.

CEUX QUI SE SONT PASSIONNÉS un jour ou l'autre pour les légumes exotiques ont peut-être déjà fait la connaissance de l'igname. Ce légume, quasi inconnu et presque absent du marché, est une curiosité en soi. Son beau feuillage luisant et en forme de cœur allongé ne révèle en rien ce qui se cache sous la terre, des tubercules allongés, en forme de massues, pouvant atteindre 60 cm de longueur et davantage.

Beaucoup de confusion entoure l'igname que l'on qualifie, à tort, de patate sucrée (*Ipomoea batatas*). Son nom anglais, *Yam*, est aussi souvent attribué à la patate sucrée. Les tubercules de l'igname ont une saveur moins prononcée et une chair plus claire que celle de la patate sucrée. L'igname porte aussi le nom latin de *Dioscorea oppositifolia*.

TOUT EN PROFONDEUR

Il est évident que pour bénéficier de ces légumes étranges, qui se consomment comme des pommes de terre, l'igname doit être plantée dans un sol très profond et suffisamment léger pour être creusée avec facilité. Les tubercules s'enfoncent à la verticale et la partie charnue se trouve au fond. Vu la difficulté de récolte, on peut choisir de cultiver l'igname pour son feuillage, suffisamment joli pour mériter une attention, et ses tiges volubiles. Dans un cas comme dans l'autre, le sol doit être riche et très bien drainé. Des arrosages constants et généreux sont essentiels pour sa croissance. En période de sécheresse, la plante cesse de se développer. L'igname affectionne le plein soleil et tolère l'ombre légère.

L'igname peut atteindre trois mètres de hauteur et un peu moins en largeur. Souvent, les feuilles sont toutes orientées dans la même direction, ce qui ajoute de l'intérêt. La floraison, rare et discrète, se fait sous la forme de petites grappes de minuscules fleurs jaune verdâtre au doux parfum de cannelle, en juillet et août. Parfois, la floraison est remplacée par le développement de petites bulbilles, le long de la tige. On peut récupérer ces derniers pour la multiplication. Il suffit de les récolter et de les planter à 10 à 15 cm de profondeur. La partie plus étroite des tubercules peut aussi être conservée au frigo, dans un sac de plastique, et plantée au printemps.

VIVACITÉ ET RUSTICITÉ

Alors que l'igname a la fâcheuse habitude d'envahir les contrées du sud des États-Unis, le climat plus nordique ralentit ses ardeurs. Rustique en zone 5a et, possiblement en zone 4b, elle repart du sol chaque printemps. La sortie est très tardive, ce qui laisse croire qu'elle a succombé aux froids. Eh non!

L'igname est bien à sa place dans le jardin potager où elle peut occuper un obélisque central, entourant un jardin aux contours formels. Toutefois, ce n'est pas une plante que l'on peut facilement déplacer chaque année. Les racines sont si profondes qu'il est difficile de les déterrer en totalité.

Elle habille bien les tipis faits de tuteurs de bambou. Ses tiges volubiles herbacées peuvent aussi s'enrouler sur des treillis fixés aux murs, ou habiller les tonnelles et les pergolas. Originaire d'Asie, l'igname procure un écran végétal intéressant pour tout jardin d'inspiration orientale.

CONSEIL EXCLUSIF DE L'AUTEURE

Si vous prévoyez récolter les tubercules de l'igname, entourez la plante de fleurs annuelles que vous pourrez arracher sans remords, à l'automne, au moment de la récolte. En effet, les tubercules ne se déterrent pas d'un simple coup de fourche et il faut creuser profondément pour les récupérer, ce qui nécessite un certain piétinement des environs.

Les Feuilles réinventées

**MES PLANTES GRIMPANTES
À FEUILLAGE COLORÉ PRÉFÉRÉES**

Vigne vierge
'Star Showers'   56

Chèvrefeuille
grimpant 'Harlequin'   58

Ampélopsis élégant   60

Hydrangée grim-
pante 'Mirranda'   62

C'EST LA GRANDE MODE. Toutes les plantes classiques y passent, sans exception : la teinture foliaire. Adieu le vert, banal et uniforme, la tendance est aux feuillages colorés, qu'ils soient pourpres, dorés ou aux motifs bigarrés. Panachures, éclaboussures et rayures font la joie des hybrideurs et des pépiniéristes à la recherche de la future coqueluche des jardineries.

Mode ou pas, il faut avouer qu'un feuillage coloré, planté ici et là, brise l'hégémonie des verts au jardin. Les jeux de contraste, les effets de «punch», sont atteints à l'aide de ces plantes pas banales. Encore faut-il ne pas en abuser. À moins de vouloir créer des arrangements provocants, les feuillages colorés et panachés doivent être utilisés avec sobriété et sagesse. C'est ainsi qu'une plante grimpante à feuillage original devient une plante vedette du jardin et qu'elle capte l'attention.

Hormis le chèvrefeuille grimpant 'Harlequin', qui produit une petite floraison, les plantes présentées ici sont essentiellement cultivées pour leur intérêt foliaire. Elles font partie de tout jardin qui se veut contemporain et bien de son temps. Très souvent d'introductions récentes sur le marché québécois, beaucoup d'informations restent à découvrir au sujet de ces plantes grimpantes au feuillage réinventé. Tant qu'elles n'auront pas occupé les jardins pour une dizaine d'années, il sera difficile de déterminer leur vitesse de croissance, leur taille adulte et leur rusticité. On doit donc considérer les informations apportées ici comme des approximations.

Dans les années à venir, le marché sera assurément enrichi de plusieurs autres plantes grimpantes à feuillage unique. La vigne à feuilles pourpres (*Vitis vinifera* 'Purpurea'), le lierre de Boston doré (*Parthenocissus tricuspidata* 'Fenway Park') et la renouée dorée (*Polygonum aubertii* 'Lemon Lace') sont à nos portes.

Vigne vierge 'Star Showers'

Vigne vierge
'Star Showers'

PARTHENOCISSUS QUINQUEFOLIA 'STAR SHOWERS'

J'aime cette plante...

... pour les panachures originales du feuillage et pour sa capacité à croître sur un mur ou une structure sans nécessiter l'installation d'un support ou d'un treillis. Vive les crampons!

LA VIGNE VIERGE ordinaire est sans doute la plante grimpante la plus cultivée de toutes. Partout en ville, mais aussi à la campagne, on la voit recouvrir de grands pans de mur de briques. Elle engloutit les structures et enterre les clôtures sous son dense feuillage. C'est sans aucun doute une plante à grand déploiement, parfaite pour recouvrir les grandes surfaces. Peut-on en dire autant du nouveau cultivar 'Star Showers', à feuillage panaché?

Jusqu'à maintenant, tout laisse croire que ce cultivar sera plus docile, donc un peu moins vigoureux, que l'espèce. Très rustique en zone 4a, cette vigne vierge peut atteindre plus de six mètres de hauteur avec la même vitesse de croissance, reconnue aux vignes vierges : fulgurante!

TACHES DE PEINTURE À CRAMPONS

Le cultivar 'Star Showers' se démarque par un magnifique feuillage moucheté de blanc et de crème. Chaque feuille est unique. Aucune éclaboussure ne ressemble à l'autre. Les feuilles de la vigne vierge 'Star Showers' sont plus petites que celles de l'espèce et, en automne, elles prennent des teintes de rose et de rouge, ce qui est très décoratif. C'est aussi en fin d'été que les fleurs, peu intéressantes, laissent place à des petites baies bleu indigo, elles aussi très ornementales et aimées des oiseaux.

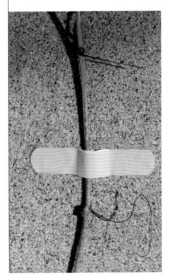

La plante est ligneuse et porte des tiges rigides, comme du bois, d'où se développent les feuilles et les nouvelles tiges chaque année. Ces dernières s'agrippent aux structures à l'aide de crampons, ce qui rend inutile l'utilisation de treillis. Il faut toutefois aider les jeunes plants à s'accrocher, à l'aide d'attaches bien positionnées.

La vigne vierge 'Star Showers' est peu exigeante en ce qui concerne le type de sol ou l'ensoleillement, mais elle a une préférence pour les sols riches et bien drainés. On a tout intérêt à la cultiver dans un endroit plutôt ombragé pour mettre en valeur la panachure du feuillage, mais elle pousse très bien au plein soleil.

DES PETITS BOUTS DE MUR

La vigne vierge 'Star Showers' s'utilise de différentes manières dans le jardin. On peut la laisser courir au pied de petits arbres, comme les magnolias, les cornouillers à feuilles alternes ou les lilas. Peut-être lui permettra-t-on d'étirer quelques tiges le long du tronc de ces arbres? On peut aussi lui offrir une cabane de jardin ou un petit bout de mur à couvrir. Chose certaine, on évite de la combiner avec la vigne vierge ordinaire. Cette dernière est beaucoup trop vigoureuse et elle aura tôt fait d'engloutir le cultivar plus raffiné. Par contre, la vigne vierge 'Star Showers' se combine bien avec l'hydrangée grimpante qui a une croissance plus lente.

Chèvrefeuille grimpant
'Harlequin'

LONICERA PERICLYMENUM 'HARLEQUIN'

J'aime cette plante…

… pour son aspect rafraîchissant dans un jardin d'ombre. Je raffole du feuillage de forme indéterminée et de sa marge irrégulière, tantôt jaune verdâtre, tantôt blanc crème.

ON NE DOIT PAS BALAYER du revers de la main les chèvrefeuilles grimpants 'Dropmore Scarlet' et 'Goldflame' qui ont fait la joie de plusieurs jardiniers au cours des dernières décennies. Ce sont, toujours et encore, des plantes de grand mérite avec des floraisons exceptionnelles. Toutefois, pour un peu de changement, on peut s'intéresser au chèvrefeuille grimpant 'Harlequin.

Son principal atout est de posséder un feuillage polymorphe, vert panaché de blanc crème et de vert clair, sur des jeunes tiges rose à rouge carmin. En quelques occasions, les feuilles portent même des reflets roses. Ce feuillage ajoute beaucoup de luminosité dans les sections plus ombragées du jardin.

PAS UNE VRAIE

Ce chèvrefeuille fait partie d'une espèce tantôt considérée comme un arbuste à tiges grêles, tantôt comme une plante grimpante, tout dépend du cultivar et de la forme qu'on veut bien lui donner. Lui faire gravir deux mètres en une saison est chose possible, mais on ne peut s'attendre à davantage, car les tiges, un peu trop sensibles aux hivers, ont tendance à geler jusqu'à 15 ou 30 cm du sol.

Les pépiniéristes sont bien généreux de lui accorder une zone de rusticité 4b. Une zone 5a reflète mieux la réalité. La plante développe de longues tiges souples que l'on doit fixer soi-même aux treillis et supports. Sans aide, ce chèvrefeuille ressemble davantage à un arbuste en quête d'identité.

La plantation d'une petite vivace couvre-sol au pied de ce chèvrefeuille agira comme protection hivernale supplémentaire tout en permettant des mariages intéressants avec ce feuillage bicolore. Le thym serpolet, la petite pervenche à fleurs pourpres (*Vinca minor* 'Atropurpurea') ou l'alchémille font de bons compagnons.

Les chèvrefeuilles grimpants 'Harlequin' préfèrent les sols légèrement acides et très bien drainés. Que le sol soit lourd ou sablonneux lui importe peu. Par contre, des arrosages réguliers sont bénéfiques. En sol lourd, on cultive la plante en plate-bande surélevée.

Ce chèvrefeuille se développe mieux au plein soleil, mais, par sa panachure, il fait un sujet fort intéressant pour les jardins d'ombre. Il s'y développe avec délicatesse.

HARMONIE FLORALE

La floraison se manifeste vers la fin de juillet sous la forme d'un regroupement circulaire de fleurs tubulaires d'un beau rose clair, légèrement parfumées. Elles n'apparaissent que sur les plants situés au plein soleil. Ce n'est pas le cultivar le plus florifère de tous, le chèvrefeuille grimpant 'Serotina'

fait beaucoup mieux, mais le mariage entre le feuillage et la fleur est parfait. Comme ses cousines, les fleurs du chèvrefeuille 'Harlequin' attirent les colibris.

Cette plante, bien dirigée et installée dans un jardin abrité, atteint une hauteur suffisante pour garnir une arche ou une tonnelle qui marque l'entrée du jardin. Vu sa vigueur limitée, on peut lui offrir un obélisque en plein centre d'une plate-bande et la marier avec quelques plantes grimpantes annuelles comme les gloires du matin, les asarines ou autres.

Ajuga reptans 'Purple Torch'

Ampélopsis élégant

AMPELOPSIS BREVIPEDUNCULATA 'ELEGANS'

J'aime cette plante...

... pour la forme de ses feuilles, ses taches, ses tiges colorées, etc. J'aime en particulier son allure délicate, voire romantique, mais à la fois contemporaine. Elle m'a séduite depuis le jour où j'en ai fait l'acquisition.

CARACTÉRISTIQUE DES AMPÉLOPSIS, cette plante porte des feuilles à lobes profonds et à pointes allongées. Elle en diffère par ses panachures, très intéressantes. Chaque feuille se pare d'un unique motif de petites marbrures blanc crème et vert clair, les jeunes feuilles étant plus marbrées que les vieilles. Ces dernières reprennent parfois leur teinte verte, ce qui n'est pas inintéressant puisque ce fond vert redonne de la valeur aux feuilles colorées. Les jeunes tiges rouges rosées sont aussi un des éléments attrayants de cette plante grimpante. Plutôt insignifiantes, les petites grappes de fleurs produisent des baies bleues très décoratives.

Relativement nouveau sur le marché, on promet à l'ampélopsis élégant un avenir grandiose. Jusqu'à maintenant, les plants observés dépassent facilement trois mètres de hauteur, mais on peut présumer que la plante atteindra la hauteur respectable de plus de huit mètres. Elle s'accroche à l'aide de vrilles sur les treillis et autres supports. L'ampélopsis élégant est rustique en zone 4a. Il est normal de perdre quelques tiges à la suite des froids d'hiver, mais les dommages sont rarement sévères. Au pire, les plants reprennent vie à partir du sol.

La plante est vendue en pot et peut être mise en terre du printemps à l'automne dans un trou de plantation enrichi d'un peu de compost. La fertilisation n'est pas nécessaire pour cette plante très peu exigeante. L'ampélopsis se multiplie facilement par bouturage.

TECHNIQUE À DÉCOUVRIR

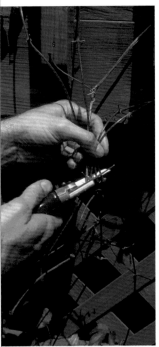

Envahi par l'ampélopsis? Les plants qui sont trop fournis et trop imposants peuvent être rabattus à 15 cm de sol très tôt au printemps, avant la sortie des feuilles. On peut oser la même opération sur les vignes vierges et les lierres de Boston.

UN PENCHANT PERSONNEL POUR L'OMBRE

C'est un sujet parfait pour les jardins où les feuillages sont à l'honneur. L'ampélopsis élégant se marie à merveille avec les différentes fougères, les géraniums vivaces, les hostas et les ligulaires. Le rose des tiges de l'ampélopsis élégant fait bonne figure aux côtés des fleurs de l'astrance, des astilbes ou du cierge d'argent 'Pink Spike'. Je la préfère à l'ombre, où elle est moins vigoureuse, donc moins dense. C'est pourtant une plante qui pousse très bien au plein soleil.

L'ampélopsis élégant se débrouille bien dans un large éventail de types de sols, mais il a une préférence pour les sols légèrement riches, meubles et bien drainés. Les arrosages doivent être réguliers, surtout la première année suivant la plantation. Par la suite, l'ampélopsis peut même tolérer quelques manques hydriques.

L'INSECTE MAL AIMÉ

Malheureusement, il faudra surveiller les scarabées japonais qui sont tout aussi intéressés par les ampélopsis que par les vignes vierges ou les lierres de Boston. Très difficile à éradiquer, le jardinier patient pourra les noyer dans une eau additionnée de savon à vaisselle liquide. Plus de détails sur cet insecte et ses moyens de lutte se trouvent à la page 166.

Hydrangée grimpante
'Mirranda'

HYDRANGEA PETIOLARIS 'MIRRANDA'

J'aime cette plante...

… car j'aime les hydrangées grimpantes, de tout acabit. Je m'émerveille sans cesse devant les vieux spécimens de cette plante grimpante à croissance lente. J'imagine le cultivar 'Mirranda' dans trente ans…

C'EST UNE INTRODUCTION très récente proposée par un pépiniériste de l'Oregon. Il existe très peu de cultivars d'hydrangée grimpante à l'heure actuelle sur le marché. La panachure des feuilles n'est pas renversante, mais c'est la seule commercialisée et elle a tout de même un certain cachet. Alors, pourquoi ne pas en profiter!

DISCRET PANACHE

Chaque feuille est dotée d'une marge d'un vert plus clair que le centre de la feuille. Presque jaune au printemps, cette marge s'atténue pour devenir pratiquement invisible en fin d'été. Les feuilles sont très petites et serrées contre les tiges, ce qui donne aux jeunes plants un air prostré.

D'abord vertes, les jeunes tiges auront tôt fait de se durcir pour devenir des branches à écorce exfoliante. Ce sont ces branches qui développent des racines adventives à l'aide desquelles l'hydrangée grimpante s'accroche aux parois. Elles adhèrent particulièrement bien aux murs de briques et aux structures de bois rude. L'hydrangée grimpante peut aussi grimper le long du tronc des arbres matures sans leur nuire.

PLUS LENT QUE L'ESCARGOT

C'est bien connu, les hydrangées grimpantes ont une croissance très lente. Pour le cultivar 'Mirranda', c'est encore plus vrai. Ce n'est vraiment pas une plante pour les jardiniers pressés. Par contre, ceux qui apprécient les belles plantes seront charmés. Le port un peu aléatoire de l'hydrangée 'Mirranda' sait donner du caractère à toutes les structures où on choisit de la cultiver. Après trois ans de culture, difficile de percevoir ce qui a bien pu se développer. Il faudra attendre la

TECHNIQUE À DÉCOUVRIR

Les fleurs de l'hydrangée grimpante se développent sur les branches secondaires et tertiaires de la plante. Pour encourager leur développement, taillez au printemps cinq centimètres seulement de l'extrémité de certaines branches. Ce n'est que l'été suivant que vous pourrez apprécier les effets de cette petite taille.

quatrième ou cinquième année avant qu'elle prenne son envol, tel un escargot ailé. Au bout d'une dizaine d'années, elle occupe un espace respectable, mais il lui faudra encore dix ou vingt ans de plus pour atteindre les dix mètres et plus de sa taille adulte.

En cours de route, l'hydrangée grimpante émettra une floraison annuelle en corymbes blancs munis de fleurs fertiles et de fleurs stériles, durant tout le mois de juillet. Ce sont en réalité les bractées des fleurs stériles qui sont décoratives.

EN TOUTE FRAÎCHEUR

L'hydrangée grimpante 'Mirranda' peut être cultivée aussi bien au soleil que dans l'ombre la plus dense. En absence de lumière, les fleurs se font plus rares. On ne doit pas négliger les arrosages réguliers lors de la première année de culture. Les sols bien drainés, riches et frais sont ceux qui conviennent le mieux, mais on peut lui offrir une situation moins favorable. On évite la fertilisation qui n'accélère en rien la vitesse de croissance. Tout ce qu'on gagne par la fertilisation périt suite aux rigueurs de l'hiver. Cette hydrangée, comme les autres, grimpantes ou non, ne connaît aucun problème de parasite.

Il ne faut pas être trop optimiste quant à sa rusticité. Quelques centimètres de l'extrémité des tiges gèlent dans un jardin de zone 5a et c'est dans cette zone qu'elle sera la plus heureuse. Cela dit, elle survit aux hivers en zone 4b.

Plus vraies que nature

MES PLANTES GRIMPANTES INDIGÈNES PRÉFÉRÉES

Concombre sauvage 66

Apios d'Amérique 68

Ménisperme
du Canada 70

NOTRE FLORE QUÉBÉCOISE a beaucoup à offrir au jardin. Ce ne sont pas les plantes ornementales qui manquent dans cette manne à portée de main. Des quelque 2 500 espèces (et plus) qui habitent nos contrées, plus d'une centaine méritent toute l'attention du jardinier. Les plantes grimpantes ne sont pas en reste et on en dénombre une douzaine d'espèces dans la flore du Québec.

Cultiver les plantes indigènes, si cela est fait avec respect (faut-il insister sur ce point?), offre bien des avantages. D'abord, nul besoin de se questionner sur leur rusticité. Si la plante pousse naturellement dans une région particulière, sa survie au jardin est quasi assurée. Ensuite, l'observation de la plante dans son milieu naturel permet de connaître les conditions optimales de sol et d'ensoleillement pour réussir sa culture. Si la plante pousse naturellement dans un sol frais et légèrement humide, c'est dans ces mêmes conditions qu'on devrait la cultiver au jardin.

Le trio de plantes grimpantes indigènes proposé ici ne devrait surtout pas être confiné à un jardin exclusivement réservé aux plantes indigènes. Elles possèdent toutes suffisamment de qualités ornementales pour se fondre dans le paysage avec d'autres plantes du jardin, la plupart importées des autres continents. Quel curieux constat de voir que les « sauvages » des autres contrées sont les belles d'ici. L'inverse est également vrai. Il est plus que temps de reconnaître le potentiel décoratif de nos propres plantes « sauvages » et même de songer à améliorer ce potentiel ornemental.

Apios d'Amérique

Concombre sauvage

ECHINOCYSTIS LOBATA

J'aime cette plante...

… car, chaque fois que je la croise dans la nature, elle se trouve dans un contexte enchanteur dont j'ai conservé le souvenir. Au pied d'un vieux moulin abandonné ou s'agrippant à un très vieux saule au bord d'une rivière, chaque fois la plante devient le point d'intérêt. Elle fait de même dans le jardin.

DE SON VRAI NOM échinocystis lobé, le concombre sauvage est une plante grimpante annuelle qui se ressème facilement d'elle-même d'un printemps à l'autre. On peut donc se fier sur sa présence au jardin durant de nombreuses années. La plante produit des tiges minces, mais très vigoureuses, qui s'agrippent, à l'aide de puissantes vrilles, à tout ce qui passe à sa portée. Ces tiges atteignent sans peine plus de six mètres dans un temps record. Les feuilles palmées rappellent celles des concombres. Pas étonnant, car cette plante indigène fait effectivement partie de la famille des cucurbitacées.

DOUCES FLEURS ET ÉPINEUX FRUITS

Le concombre sauvage produit deux sortes de fleurs. En effet, les fleurs femelles, solitaires, sont situées à la base d'une grappe de petites fleurs mâles, blanc crème. La floraison est tout de même jolie, avec ses fleurs à six pétales allongés et tordus. Elle dégage un bon parfum. Elle débute très tôt, vers la mi-juin, pour se poursuivre jusqu'aux gels. Chaque fleur femelle produit avec facilité le fameux fruit, un curieux sac gonflé, globuleux et recouvert d'épines qui renferme de grosses semences. Le fruit s'assèche et finit par libérer les graines qui tombent au sol à la fin de l'été et à l'automne, prêtes à assurer la relève le printemps suivant. En s'asséchant, le fruit prend la texture de papier de soie et rappelle curieusement une petite lanterne chinoise. Il persiste ainsi durant tout l'hiver.

DE LA NATURE AU JARDIN

Dans son habitat naturel, le concombre sauvage vit dans les bosquets humides, aux abords des rivières. C'est pourquoi sa préférence va aux sols légèrement humides ou irrigués régulièrement. S'il préfère le plein soleil, il peut aussi pousser dans des endroits qui se trouvent à l'ombre une petite partie de la journée.

La seule difficulté concernant le concombre sauvage est de s'en procurer. Il est pratiquement inexistant sur le marché et seuls quelques pépiniéristes canadiens et américains vendent des semences. Par contre, la plante se croise partout au Québec et il est facile, et peu dommageable pour la survie de l'espèce, de récolter quelques semences en août et septembre. Aussi, malgré la mauvaise réputation des cucurbitacées, le concombre grimpant se transplante bien. Si un plant germe au jardin dans un endroit où il n'a pas sa place, on peut le déplacer et l'implanter à un autre emplacement.

CELLE QUI SAIT

Il y a des plantes qui ont le tour de pousser là où il le faut. J'ai toujours pensé cela des coquelicots (*Papaver rhoeas*) et maintenant des concombres sauvages. Puisqu'il repart de la graine chaque année, on ne sait jamais trop où il germera chaque printemps. Sans trop pouvoir l'expliquer, il s'avère que l'emplacement qu'il choisit comme domicile est à la fois le plus improbable et le plus séduisant. On dirait que la plante sait où pousser pour créer des scènes dignes de cartes postales. Alors, laissons-lui le privilège de choisir !

Apios americana

J'aime cette plante…

… dans son ensemble. Ses feuilles, ses fleurs, son allure générale et ses tubercules comestibles en font une plante aux cent qualités. L'apios remporte haut la main le statut de plante ornementale. Difficile de croire qu'une si belle plante pousse à l'état sauvage au Québec.

CETTE PLANTE GRIMPANTE mérite bien plus d'attention qu'elle n'en reçoit. Il s'agit d'une plante vivace très facile de culture qui produit, sans soins particuliers, une floraison généreuse et intéressante. Elle prolifère tant dans les sols sablonneux que dans les sols humides et plutôt lourds, comme les abords de rivages de son milieu naturel. La plante a une préférence pour les sols légèrement humides, mais pas gorgés d'eau. L'apios peut croître sans difficulté tant au plein soleil qu'à l'ombre. On observe l'apios en abondance le long du fleuve Saint-Laurent.

É C O L O -
C O N S E I L

Jamais on ne le dira assez. Procurez-vous des plantes grimpantes indigènes multipliées en pépinière. En plus de protéger les milieux naturels de prélèvements abusifs, les plants produits en pépinières sont souvent sélectionnés, voire améliorés, et mieux adaptés aux conditions de culture du jardin.

BON POUR LE BEDON

L'apios est connu aussi sous le nom de patates en chapelet en raison des colliers de tubercules arrondis qu'il produit. Ces tubercules s'avèrent comestibles et sont consommés de la même manière que des pommes de terre. Les apios contiennent trois fois plus de protéines que celles-ci.

Toutefois, son intérêt ne se limite pas qu'aux plaisirs de l'estomac. L'apios développe un feuillage composé de cinq à sept folioles, assez typique des légumineuses. La plante enroule ses tiges volubiles autour des supports. Les treillis, les fils suspendus et les tuteurs de bambou lui conviennent bien. Elle peut atteindre deux mètres de hauteur sans peine. Puis vers la fin de l'été apparaît la très belle floraison, des grappes de fleurs papilionacées bicolores, rose et bourgogne. Rarement, la plante produit des fruits, une gousse de cinq à dix centimètres de long. Qu'à cela ne tienne, l'apios d'Amérique se multiplie d'un autre moyen…

A-T-ELLE SUCCOMBÉ ?

Patience, patience, cette plante grimpante vivace sort tardivement au printemps, ce qui laisse croire qu'elle n'a pas survécu à l'hiver. Elle peut apparaître aussi tard qu'au début de juin. La plante renaît des tubercules qui hivernent dans le sol. Parfaitement vivace en zone 3a, il n'est pas rare de la voir ressortir au printemps à 30 ou 40 cm

Les scarabées du rosier attaquent parfois l'apios d'Amérique.

de son point d'origine. C'est peut-être le seul bémol, s'il y en a un : sa capacité à se répandre. Il est bon de lui réserver entre 50 et 100 cm d'espace pour lui permettre de rejaillir sans contraintes. À la suite de la sortie des pousses, on peut remplir le reste de l'espace avec une plantation d'annuelles et déterrer tous les tubercules qui projettent des pousses à l'extérieur de la zone réservée. La récolte et la replantation des tubercules à l'automne sont aussi un bon mode de contrôle de sa croissance.

Généralement sans problème, l'apios est occasionnellement attaqué par les scarabées du rosier, notamment lorsque les vrais rosiers se font rares aux alentours. Les altises peuvent aussi y prendre quelques bouchées. La cueillette manuelle des insectes que l'on noie dans l'eau savonneuse est encore la plus simple des alternatives écologiques.

Ménisperme du Canada

MENISPERMUM CANADENSE

J'aime cette plante...

... car il est difficile de deviner qu'il s'agit d'une plante indigène, tant elle possède des qualités ornementales. Feuillage, floraison et fruit en font une plante à découvrir et à commercialiser davantage.

LES JARDINIERS ONT de la difficulté à le dénicher, car un seul producteur l'offre présentement au Québec. Qu'à cela ne tienne, ce devrait être un incontournable. Le ménisperme a tous les attributs d'un classique. Plante ornementale en tout point, elle est parfaitement rustique en zone 4a et présente une résistance aux insectes et maladies. Ses exigences de culture sont aussi peu élevées.

TECHNIQUE À DÉCOUVRIR

Afin de permettre aux plantes grimpantes de s'enrouler facilement aux treillis fixés contre les murs, assurez-vous de ne pas appliquer le treillis directement contre ceux-ci. Laissez un espace libre de 2 à 5 cm.

C'est une plante qui s'accommode très bien des sous-bois frais et légèrement humides, mais cela ne l'empêche pas de croître dans des emplacements plus ensoleillés et des sols plus pauvres ou plus secs. Elle pousse de préférence au plein soleil, mais se développe aussi dans un emplacement plus à l'ombre. C'est donc une plante qui s'adapte bien à différentes situations de culture. De plus, le ménisperme du Canada n'est pas difficile à planter. Un trou, du compost et voilà.

ACCENTS TROPICAUX

On trouve le ménisperme à l'état naturel aux abords des ruisseaux dans les bosquets d'arbustes ou dans les forêts de feuillus. Il couvre un territoire qui s'étend de l'Estrie à la plaine du Saint-Laurent jusqu'au Lac-Saint-Pierre. Le ménisperme du Canada est le seul sujet de la famille des ménispermacées à pousser naturellement en cette terre, la majorité des espèces de cette famille étant des plantes tropicales.

Les tiges volubiles du ménisperme sont lisses, teintées de rouge. Elles portent un feuillage de forme lobée, rappelant une feuille d'érable aux pointes arrondies. Ce feuillage crée un couvert végétal clairsemé. La plante atteint des sommets lorsqu'elle gravit quatre mètres de hauteur, mais elle se tient généralement à deux mètres. On laisse environ 1,50 mètre entre chaque plant. En juin, de toutes petites fleurs blanches s'épanouissent pour ensuite laisser place à des baies bleu noir regroupées en grappes. Les fruits persistent sur la plante tout l'hiver. À l'intérieur des baies se trouvent des graines en forme de croissant de lune, ce qui lui vaut le nom de *moonseed*. Les fruits du ménisperme du Canada sont toxiques et souvent confondus avec des raisins sauvages.

SOBRIÉTÉ NATURELLE

Le ménisperme convient à tous les types de jardins et ne devrait pas être confiné dans les jardins de plantes indigènes. C'est une grimpante parfaite pour les clôtures de treillis métallique ou les clôtures de bois. On peut la diriger sur un mur, à l'aide d'un treillis de lattes. Elle forme un mur de verdure qui met en valeur des jardins d'une grande sobriété, comme ceux d'inspiration orientale. Le ménisperme est aussi bien à sa place dans les petits jardins de ville, aux accents plus contemporains.

Fleurs, Fleurs, jolies Fleurs

MES GRIMPANTES À FLEURS DÉCORATIVES PRÉFÉRÉES

Clématite 'Blue Bird'   74

Clématite 'Betty Corning'   76

Clématite 'Warszawska Nike'   78

Clématite akébioïde   80

Clématite à fleurs jaunes 'Radar Love'   82

Passiflore rustique   84

Jasmin trompette   86

Chèvrefeuille 'Serotina'   88

LES PLANTES GRIMPANTES ne font pas seulement dans la feuille, elles font aussi dans la fleur! Celles qui sont à floraison décorative sont même nombreuses. Les végétaux qui sont regroupés ici se démarquent du lot par leur grande beauté. Parmi eux se trouve évidemment une des espèces de plantes grimpantes les plus aimées de toutes: les clématites. Rares sont les plantes du jardin, toutes catégories confondues, qui possèdent des fleurs si imposantes. Encore plus rares sont celles qui produisent de si grosses fleurs en si grande quantité! Ce genre, en apparence très connu, renferme des bijoux dignes d'hypnotiser les plus fervents collectionneurs de végétaux.

Le monde des floraisons exceptionnelles est aussi celui d'une fleur d'une grande complexité dans sa composition, la passiflore. Cette fois-ci, cette belle d'origine tropicale revêt son plus gros manteau, car en voici une qui peut survivre à nos hivers. Enfin, il y a le jasmin trompette, simplement parce qu'il est trop souvent mis de côté. Sa floraison, justement en grappes de trompettes, peut s'étaler sur une très longue période.

Toutes les plantes grimpantes à floraison décorative doivent être mariées à d'autres belles floraisons, que ce soit des plantes grimpantes annuelles, des plantes herbacées vivaces ou des arbustes à fleurs. Ce ne sont pas les possibilités de jeux de couleurs qui manquent, surtout si on considère l'étendue du coloris des clématites à grandes fleurs.

Il faut savoir que toutes ces belles fleurs sont, par-dessus tout, des amoureuses du plein soleil, nécessaire à une floraison abondante. Des arrosages généreux et réguliers sont aussi essentiels pour l'épanouissement d'un maximum de boutons floraux.

Jasmin trompette

CLEMATIS MACROPETALA 'BLUE BIRD'

J'aime cette plante...

… car j'ai vraiment un faible pour les clématites à floraison printanière. Je les préfère même aux grandes fleurs exubérantes des clématites à floraison estivale. J'apprécie ces fleurs qui naissent à travers un feuillage émergent. Je reviens toujours à ce cultivar pour la richesse du bleu de ses pétales.

LA CLÉMATITE 'BLUE BIRD' est un grand classique et c'est, sans doute, la clématite à floraison printanière la plus commercialisée. Tant mieux, car elle le vaut bien. C'est une plante fiable, vigoureuse, bien rustique en zone 3a, qui porte chaque année un joli feuillage en santé et des fleurs en abondance. D'un bleu intense, les fleurs, penchées vers le bas, sont semi-doubles et dotées de pétales allongés, parfois tordus. Très hâtives ces fleurs ne s'épanouissent que sur une période de deux ou trois semaines, vers la fin du mois de mai et le début de juin.

En plus, c'est une obtention canadienne! Introduit sur le marché en 1969, le cultivar 'Blue Bird' est un hybride de Frank L. Skinner (1882-1967). Installé à Dropmore dans les prairies manitobaines, celui-ci a aussi travaillé à l'amélioration des lilas, des rosiers et des lis.

HOURRA POUR LES ATRAGÈNES

Les clématites de l'espèce *macropetala*, comme 'Blue Bird', font partie d'un groupe que l'on appelle les atragènes. Celui-ci inclut également les clématites alpines (*C. alpina* et ses cultivars). Assez difficiles à distinguer, la plupart des clématites alpines ont des fleurs simples alors que les *Clematis macropetala* portent des fleurs doubles. Dans leur mode de culture et leur usage, toutes ces clématites s'utilisent sensiblement de la même manière. Enfin, la majorité des cultivars de ces deux espèces sont fort intéressants pour le jardin. Le marché québécois propose une quinzaine de cultivars, mais il en existe près d'une soixantaine. Outre le cultivar 'Blue Bird', j'ai aussi un faible pour les hybrides de *Clematis macropetala* comme 'Maidwell Hall' et 'Rosy O'Grady'. Du côté des clématites alpines, les cultivars 'Ruby', 'Constance' et 'Helsingborg' sont aussi fort jolis.

LOIN DU CAPRICE « CLÉMATITIEN »

Les clématites à floraison printanière, le cultivar 'Blue Bird' autant que les autres du groupe atragènes, tolèrent des conditions de culture qui seraient inacceptables pour d'autres groupes de clématites. En fait, elles sont peu exigeantes.

Elles poussent très bien au soleil, mais sont agréablement surprenantes dans des recoins plus tamisés. Côté sol, la seule chose à éviter est un sol détrempé, surtout au printemps. Toutefois, les sols frais lui sont plus favorables. Cette clématite est produite à partir de boutures, puis vendue en pots.

UNE TAILLE QUI N'EN EST PAS UNE

Puisqu'elle fleurit au printemps, la clématite 'Blue Bird' ne nécessite aucune taille au printemps, car, évidemment, on couperait les boutons floraux. En règle générale, elle peut croître des années sans aucune taille. S'il faut tailler, ce sera tout de suite après la floraison. La taille peut être nécessaire si la plante s'affaisse.

En raison de la forme retombante de la fleur, ce n'est pas une clématite à laisser ramper au sol, bien que cela soit possible. Mieux vaut la faire grimper. Elle peut alors atteindre entre 2,50 et 3,00 mètres de hauteur. En largeur, la plante occupe peu d'espace, rarement plus de 50 cm, ce qui est idéal pour les petits jardins. La clématite 'Blue Bird' s'accroche à l'aide de pétioles enroulants. Il est donc nécessaire de lui fournir un treillis fin, comme un filet ou un treillis métallique, pour lui permettre de s'agripper. C'est un sujet parfait pour camoufler le tuyau de la gouttière, pour grimper dans un obélisque ou pour la culture en contenant.

CONSEIL EXCLUSIF
DE L'AUTEURE

Laissez les clématites à floraison printanière grimper librement dans les arbustes et les haies. Elles offrent une floraison hâtive qui «habille» ces végétaux. En été, délogez votre clématite le temps de la taille, puis replacez-la en vue de sa floraison du printemps suivant.

CLÉMATIS VITICELLA 'BETTY CORNING'

CETTE CLÉMATITE EST assez unique, méconnue et sous-utilisée. Le cultivar 'Betty Corning' fait partie d'un groupe de clématites en pleine expansion, le groupe des viticella. Plus vigoureuses et moins maladives que les clématites à larges fleurs, les clématites de ce groupe, qui incluent aussi les cultivars 'Étoile Violette', 'Madame Julia Correvon' et 'Polish Spirit', sont de plus en plus populaires. Généralement, les fleurs du groupe viticella sont plus ouvertes et comparables aux fleurs des clématites à fleurs larges. La clématite viticella 'Betty Corning' est une exception avec ses fleurs retombantes aux pétales retroussés. C'est un indice que ce cultivar d'origine étrange est possiblement un croisement avec l'espèce *C. crispa*. En fait, cette clématite fut découverte en 1933 dans un jardin privé de l'État de New York par une passionnée du jardinage, Betty Corning elle-même.

QUE DU BON

Comme ses cousines du groupe viticella, la clématite 'Betty Corning' est bien rustique en zone 4a, peut-être davantage. Les plants atteignent entre trois et quatre mètres de hauteur, parfois un peu plus, ce qui en fait des clématites à grand déploiement. La floraison couvre les mois de juillet et août sans difficulté. Les fleurs sont abondantes, réparties sur l'ensemble de la plante et on y dénote un léger parfum, chose peu commune chez les clématites.

J'aime cette plante...

… pour ses romantiques clochettes frisées et leur couleur unique, mauve argenté aux reflets tantôt roses, tantôt blancs. C'est une plante vigoureuse et florifère.

Ce cultivar n'est pas atteint par le flétrissement de la clématite. Il est assez résistant aux insectes nuisibles et maladies. Un peu de blanc, quelques pucerons, c'est à peu près tout ce qui ébranle cette plante.

TERRE ET TAILLE

Les clématites s'achètent en plants, mais il serait intéressant de voir ce qui résulte d'un semis. Encore une fois, avec le cultivar 'Betty Corning', le mythe de la clématite capricieuse tombe. Celui-ci ne demande qu'un sol drainé, idéalement légèrement humide, mais il tolère quelques épisodes de sécheresse lorsqu'il est bien établi. Cette plante s'accommode assez bien de tous les types de sols, qu'ils soient riches ou pauvres, légers ou lourds. Par contre, c'est une amoureuse du plein soleil.

Cette clématite, comme celles du groupe dont elle fait partie, se taille sévèrement tôt au printemps, avant la sortie des feuilles. On la rabat habituellement à 30 cm du sol, mais elle peut être complètement coupée au ras du sol. Puisque c'est une clématite vigoureuse, on peut aussi choisir de ralentir ses ardeurs en taillant au sol certaines des tiges, lorsque celles-ci ont une trentaine de centimètres de long. Cette taille d'éclaircissage rend le plant moins fourni, ce qui permet des combinaisons avec les arbustes et autres plantes du jardin.

AMOUR-RRRR !

Romantisme, romantisme, romantisme, c'est tout ce qu'inspire cette clématite. Je la vois dans un jardin de cottage, sur un mur de briques, à l'arrière d'une plate-bande de plantes vivaces mixtes (*mixed border*). Je vois la clématite 'Betty Corning' perdue dans les bras du rosier 'Purple Pavement'. L'infidèle, la voilà qui embrasse une arche de fer forgé à l'entrée du jardin.

TECHNIQUE À DÉCOUVRIR

Avec ses pétioles enroulants, la clématite 'Betty Corning' ne peut pas s'enrouler autour d'un poteau de tonnelle ou d'une gloriette. Pour la faire grimper sur ce genre de structures, recouvrez-les de filets transparents ou de grillage métallique.

Clématite
'Warszawska Nike'

CLEMATIS HYBRIDA 'WARSZAWSKA NIKE'

L'ARRIVÉE SUR LE MARCHÉ de plus d'une centaine de nouveaux cultivars de clématites en moins de dix ans, a offert un choix extrêmement vaste aux consommateurs. Il y a fort à parier que la clématite 'Warszawska Nike' se taillera une place aux côtés des cultivars 'Jackmanii', 'Nelly Moser' et 'Comtesse de Bouchaud'.

TOUT CE QU'IL Y A DE PLUS POLONAIS

Le nom particulier de cette variété confirme ses origines polonaises. La clématite 'Warszawska Nike', comme une soixantaine d'autres cultivars, fut créée par le frère Stefan Franczak, entre les années soixante et quatre-vingt. Le nom 'Warszawska Nike' fait référence à un monument honorant les héros de la Seconde Guerre mondiale. *Nike*, autre nom d'Athéna, est la déesse grecque de la victoire et *Warszawa* désigne Varsovie en polonais.

Il s'agit d'une clématite à fleurs larges et à floraison hâtive. On entend par là, une floraison qui débute vers la mi-juin pour se poursuivre jusqu'au début août. Les clématites à floraison hâtive ont la particularité de fleurir sur le bois de l'année précédente. Les fleurs étoilées de 'Warszawska Nike' mesurent entre 10 et 15 cm de diamètre et sont d'un violet pourpre intense, assez unique. Il y a déjà beaucoup de fleurs mauves ou violettes chez les clématites, mais rien de comparable à celles-ci. C'est du velours !

À maturité, les plants atteindront environ trois mètres de hauteur et un peu plus d'un mètre de largeur. Ce sont les pétioles des feuilles qui s'enroulent et qui permettent à la plante de grimper, il faut donc lui offrir un support de croissance dans lequel elle puisse s'agripper.

PLANTÉE AVEC SOIN

Les clématites à fleurs larges, qu'elles soient hâtives ou tardives, préfèrent croître dans un sol riche, meuble et frais, au plein soleil. Le drainage est essentiel, surtout en période de fonte des neiges. À la plantation, on manipule les plants avec soin, pour ne pas briser les tiges, et on enterre environ 10 cm des tiges sous terre. Ensuite, on recouvre le sol d'un paillis, afin de conserver la fraîcheur près des racines.

Puisqu'elle produit des boutons floraux sur les tiges de l'année précédente, on taille peu cette clématite au printemps. On suit les tiges à partir du sommet et on coupe les parties brûlées par l'hiver juste au-dessus de deux bourgeons bien joufflus. Cela dit, c'est une clématite que l'on pourrait rabattre au sol chaque printemps, mais cette opération retarde la floraison.

CLÉMATITE DE TOUS LES INSTANTS

Les possibilités d'associations avec la clématite 'Warszawska Nike' sont sans limites. Elle se marie à merveille avec d'autres clématites à fleurs blanches ou rouge foncé. Tous les rosiers grimpants lui sont de bonne compagnie. On peut aussi en faire la touche dominante d'un jardin pourpre, en compagnie du rosier rustique 'Geranium' (hybride de Moyes) ou du rosier rustique 'Hunter', de l'ail géant (*Allium giganteum*) ou du géranium d'Arménie (*Geranium psilostemon*).

CONSEIL D'EXPERTE

La plupart des clématites à fleurs larges sont sensibles au flétrissement, une maladie causée par *Ascochyta clematidina*. Cette maladie fongique, le fameux caprice «clématitien», bloque la circulation de la sève dans les tiges et provoque leur dépérissement rapide. Elle est rarement mortelle, et c'est souvent le jardinier qui, en cessant de soigner la plante, provoque sa véritable mort. Dès qu'une tige commence à flétrir, rabattez-la au sol. Poursuivez les arrosages et de nouvelles tiges intactes feront leur apparition. Cette maladie attaque surtout les jeunes plants et pénètre par les blessures sur les tiges. C'est donc en plantant avec soin que l'on peut prévenir le ravage.

Les fleurs de clématites sont parfois dévorées par les perce-oreilles.

J'aime cette plante...

… pour la couleur sombre des fleurs qui se marient magnifiquement avec d'autres clématites, qu'elles soient à fleurs blanches, roses ou violettes. C'est aussi une clématite bien vigoureuse et sa rusticité est éprouvée.

CLEMATIS AKEBIOIDES

J'aime cette plante...

... pour l'originalité de ses fleurs et surtout pour la teinte bleutée de son feuillage. C'est une clématite vigoureuse qui a un charme bien à elle.

ON RECENSE PRÈS DE 300 espèces de clématites dans le monde, sans compter les hybrides et les cultivars. La plupart sont réparties dans l'hémisphère Nord et même le Québec accueille sur son sol les espèces indigènes *Clematis occidentalis* var. *occidentalis* et *C. virginiana*. Les espèces non hybridées de clématites sont très souvent toutes aussi jolies que les cultivars modernes. Nombre d'entre elles méritent d'être découvertes.

TECHNIQUE À DÉCOUVRIR

Les semences de clématites sont munies de longues aigrettes qui servent à disperser les semences par le vent. Celles-ci ne sont pas essentielles lors du semis puisque la graine se trouve au bout, dans la partie renflée. Vous pouvez donc, si vous le désirez, couper cette partie et ne conserver que la portion contenant la graine.

La clématite akébioïde est originaire de l'ouest de la Chine. C'est une plante grimpante qui peut atteindre cinq mètres de hauteur, mais qui en fait habituellement trois. Elle se démarque de toutes par son feuillage divisé, argenté et à texture épaisse. Cette couleur est rehaussée par des tiges pourpres, ce qui crée un assemblage unique. C'est sans compter les fleurs, des clochettes à quatre sépales jaunes, teintées elles aussi du même pourpre que les tiges. La floraison bat son plein en juillet et août et cède la place à des fruits décoratifs.

UNE AUTRE CLÉMATITE FACILE

Cette clématite est loin d'avoir des besoins complexes. Parfaitement rustique en zone 5a, il serait intéressant de l'expérimenter en zone 4 et peut-être en zone 3. Elle affectionne les sols frais, plus ou moins riches et bien drainés, mais elle tolère parfaitement les sols un peu plus secs et un peu plus pauvres. Elle pousse bien au plein soleil, et aussi sous une ombre légère.

Puisque la floraison apparaît sur les nouvelles tiges seulement, on peut aisément rabattre la plante à 30 cm du sol, tôt au printemps, avant la sortie des feuilles.

LE SECRET DU SEMIS

Ce n'est pas une clématite que l'on trouve facilement sur le marché québécois, où elle est encore pratiquement inconnue. Toutefois, il est possible d'obtenir des plants par commande postale sur Internet ou, encore, on peut se procurer des semences par le biais des sociétés horticoles spécialisées, comme la North American Rock Garden Society (NARGS).

Les semences doivent subir des périodes de chaud et de froid en alternance afin de pouvoir germer. On sème les graines en janvier ou février dans un terreau légèrement humide en recouvrant à peine les semences, puis on place les plateaux de semis au chaud, 20 °C, durant trois mois. Ensuite, on installe les plateaux au froid, autour de 10 °C, pour trois autres mois, puis on retourne les plateaux au chaud. Les graines de clématites peuvent prendre jusqu'à 12 semaines pour germer.

MISEZ SUR LE BLEU

C'est la clématite tout indiquée pour couvrir les clôtures métalliques, les arches, les tonnelles et les gloriettes. Son feuillage aux reflets bleutés fait merveille près de l'épinette bleue du Colorado et de certains genévriers. Les floraisons rose clair du printemps et du début d'été sont saisissantes en compagnie de ce feuillage. Les arbustes à feuillage pourpres, comme les tiges de cette clématite, seront aussi de bons compagnons. Citons en exemple l'épine-vinette 'Royal Burgundy' (*Berberis thunbergii* 'Royal Burgundy') et l'arbre à perruque 'Grace' (*Cotinus coggygria* 'Grace'). Puisqu'elle fleurit plus tard en été, il serait possible de la combiner à une clématite à floraison printanière, ce qui permettrait deux périodes de floraison pour le même espace.

Clématite à fleurs jaunes 'Radar Love'

CLEMATIS TANGUTICA 'RADAR LOVE'

J'aime cette plante...

… car les clématites à fleurs jaunes sont extrêmement faciles de culture et sont parmi les clématites les plus tardives à fleurir. J'aime leurs petites fleurs jaunes retombantes qui n'ont rien d'aussi spectaculaire que les grandes fleurs des clématites à floraison estivale, mais qui possèdent leur charme bien à elles.

C'EST EFFECTIVEMENT une clématite qui est très belle au mois d'août, même si la floraison s'échelonne en vérité de juillet à septembre. De nombreux hybrides de la clématite à fleurs jaunes ont fait leur apparition au cours des dernières années. Le cultivar 'Radar Love' est très semblable à l'espèce. Il s'en distingue par des fleurs un peu plus grosses et de couleur plus claire.

Cette clématite à grand déploiement est très vigoureuse et couvre parfaitement une surface de plus de quatre mètres de haut et deux mètres de largeur. En été et en début d'automne, elle se pare de fleurs en clochettes plus ou moins ouvertes d'un jaune rappelant la pelure du citron. Chaque fleur est remplacée par une fructification ébouriffée, très décorative, qui persiste une bonne partie de l'hiver. Tout ceci sur un fond de feuillage découpé d'un beau vert moyen.

SEMIS, VARIABILITÉ ET ENDURANCE

On peut se procurer la clématite 'Radar Love' en plants, dans les jardineries. Elle se multiplie par bouturage, comme la plupart des clématites, mais aussi par semis. Facile à semer, on procède au mois de février en recouvrant légèrement les semences et en les plaçant dans un endroit éclairé et chaud, autour de 20 °C. La germination peut prendre de 10 à 35 jours. Évidemment, le semis ouvre la porte à une grande variabilité dans les résultats. Les fleurs sont plus ou moins grosses, la couleur est plus ou moins intense.

Jardiniers du Grand Nord, cette plante est pour vous. La clématite 'Radar Love' pousse sans protection hivernale dans des jardins de zone 1a. Alors aucun problème dans les jardins de zone 2, 3, 4 ou 5.

Amoureuse du plein soleil, la clématite 'Radar Love' pousse aussi dans des endroits légèrement ombragés. Elle préfère les sols plus ou moins riches, meubles et bien drainés, mais s'accommode des sols pauvres, pierreux, et même des sols un peu plus argileux. Le bon drainage est essentiel.

Puisqu'elle fleurit sur les nouvelles tiges, on peut rabattre la plante au complet à 30 cm du sol, au printemps, avant le développement des feuilles. Cette taille sévère est à peu près la seule intervention que nécessite cette clématite facile de culture. Très peu de maladies et d'insectes nuisibles l'affectent.

SES COPINES

Étant donné sa vigueur, elle est idéale pour couvrir les clôtures et les grandes pergolas, mais il est aussi possible de la cultiver dans de plus petits espaces tout en contrôlant son développement. Il suffit alors de couper les tiges, ou portions de tiges, qui envahissent le paysage. Puisque la floraison des clématites à fleurs jaunes se poursuit généralement jusqu'en septembre, on peut planter des vivaces à floraison d'automne à leurs pieds. L'aster ponceau (*Symphyotrichum puniceum* [syn. : *Aster puniceum*]), une magnifique espèce indigène ou les asters de Nouvelle-Angleterre et leurs cultivars (*Symphyotrichum novae-angliae* [syn. : *Aster novae-angliae*]), ceux à fleurs bleu mauve en particulier, créent des contrastes de couleur intéressants. La sauge russe (*Perovskia atriplicifolia*), le phlox des jardins 'Norah Leigh' et la rose trémière de l'Ukraine (*Alcea rugosa*) compléteraient bien le tableau.

CONSEIL D'EXPERTE

Parmi les autres cultivars de clématite à fleurs jaunes intéressants se trouve 'Golden Cross', avec ses pétales complètement retroussés vers l'arrière et ses étamines bourgogne, et 'Kugotia' (syn. : *C. t.* 'Golden Tiara'), avec ses fleurs beaucoup plus grosses que la plupart des autres cultivars.

Clematis tangutica **'Golden Cross'**

Passiflore rustique

PASSIFLORA INCARNATA

J'aime cette plante...

… simplement pour l'effet de surprise que m'a procuré cette plante lorsqu'on me l'a présentée comme une plante parfaitement rustique. Je l'ai à peine cru. Admettre sa rusticité fut un choc, mais constater la beauté de sa floraison a été fatal.

MÊME SI LES FLEURS de la plupart des passiflores sont simplement renversantes et valent la peine d'être cultivées au jardin malgré une floraison parfois rare, cette passiflore a, sur toutes les autres espèces, le net avantage de survivre à l'hiver! Oui, vous avez bien entendu! La passiflore rustique survit sans protection hivernale dans la région de Montréal et de ses environs (zone 5b). De plus, elle produit une fleur tout aussi intéressante que celle des espèces communément cultivées, comme *P. caerulea* ou *P. mollissima*. L'espèce présentée ici s'avère indigène dans tout le sud des États-Unis et le long de la côte ouest.

La plante sort tardivement au printemps, ce qui demande un petit surplus de patience de la part du jardinier qui la cultive. Une fois la croissance amorcée, rapidement, elle émet des tiges vigoureuses parées de feuilles trilobées d'un vert assez foncé. Comme toute passiflore, celle-ci s'accroche à son support à l'aide de vrilles vigoureuses, capables de s'enrouler autour des lattes d'un treillis de bois ou d'un fil mince comme celui d'un filet. Elle convient donc aux treillis fixés contre un mur, aux arches ou aux obélisques de fer forgé. La plante atteint rapidement deux mètres et plus de hauteur.

L'EXUBÉRANCE A UN NOM

La floraison ne se manifeste qu'en août. Les fleurs sont, comme chez toute passiflore, d'une complexité renversante. Sur un fond composé d'une dizaine de pétales blanc pur à pointe arrondie se dispose un disque d'étamines ondulées, mauves. Au centre de la fleur émerge un cercle blanc d'où ressort un énorme pistil à trois branches. Loin d'être discrète, on en convient, les fleurs ont, de surcroît, l'audace de mesurer plus de 10 cm de diamètre! Celles-ci attirent les papillons et les colibris. Revers de la médaille oblige, cette beauté dure rarement plus d'un jour. À l'occasion, les fleurs laissent place à des fruits ovoïdes, verts. Plutôt décoratifs, ils s'avèrent comestibles, mais pas particulièrement savoureux.

Plante assez rare sur le marché, il faut procéder à une véritable quête du Graal pour se la procurer. Seuls les plus déterminés pourront la dénicher dans quelque jardinerie spécialisée du Québec ou l'acheter en ligne sur Internet.

Les passiflores apprécient le plein soleil, nécessaire à une floraison convenable. Toutefois, si le feuillage vous passionne autant que la floraison, il est possible d'installer les plants à l'ombre. Côté sols, tout est possible, car les passiflores s'accommodent tant des sols sablonneux que des sols argileux et lourds. Une fois bien établie, cette plante tolère même les manques d'eau.

La plantation des passiflores n'a rien de complexe. Le sol peut être légèrement amendé de compost ou de fumier bien décomposé et d'une poignée d'os moulu. Le défi consiste ensuite à ne pas casser la, ou les tiges, en manipulant la plante. On peut fertiliser deux ou trois fois dans l'été avec un engrais plus riche en phosphore, qu'il soit soluble ou granulaire. Peu d'insectes ravageurs s'intéressent aux passiflores.

CONSEIL D'EXPERTE

N'oubliez pas que les plantes à fleurs sont attirées par le soleil. Elles poussent en direction du soleil et fleurissent en direction du soleil. Prenez ceci en considération lorsque vous installez un treillis vertical dans le jardin. Positionnez-le de manière à pouvoir apprécier le plus possible les fleurs.

Jasmin trompette

CAMPSIS RADICANS

J'aime cette plante…

… pour sa floraison en trompette aux accents exotiques, mais aussi pour son feuillage composé.

J'AI TOUJOURS EU des doutes au sujet des jasmins trompettes. Longtemps je les ai écartés, croyant qu'ils manquaient simplement de rusticité pour s'épanouir convenablement sous notre climat. En vérité, les jasmins trompettes sont parfaitement rustiques en zone 5a et se développent avec autant de vigueur que les magnifiques spécimens vus lors de mes voyages dans le centre et le sud des États-Unis.

VISIBILITÉ ACCRUE

Les grandes fleurs en trompette, d'un rouge écarlate très voyant, n'en finissent pas de s'épanouir. Chaque grappe est un mélange de fleurs matures et de boutons à venir. La floraison commence au début de juillet et peut se poursuivre jusqu'à la fin du mois de septembre, sans interruption. Le feuillage crée aussi un effet fort intéressant, avec ses feuilles luisantes d'un vert très foncé, composées de 11 à 15 folioles.

Pouvant atteindre quatre mètres de haut sans difficulté, on lui en accorde parfois jusqu'à dix, chose que je n'ai pas encore observée sous notre climat. Aussi en raison des froids un peu plus intenses qu'ailleurs, la plante renaît habituellement du sol chaque printemps et s'accroche à l'aide de racines adventives, un peu à la manière des hydrangées grimpantes.

Malgré ce système d'ancrage, il est sage de fixer les branches principales avec des attaches afin de prévenir l'écroulement de la plante à cause de sa charge foliaire et florale.

CULTURE MINIMALE

Le jasmin trompette, appelé bignone à tort, préfère le plein soleil, mais ne refuse pas une exposition légèrement ombragée. Le sol à son pied doit être plus ou moins riche, bien drainé et légèrement enrichi de compost. Les arrosages sont réguliers. Toutefois, la plante tolère des conditions de culture moins parfaites, comme un sol plus pauvre ou plus pierreux. Les pucerons sont à peu près les seuls ennemis du jasmin trompette. On les chasse avec un jet d'eau puissant ou une application de savon insecticide.

Les fleurs apparaissent à l'extrémité des tiges. Le jasmin trompette se taille peu et même pas du tout. S'il faut le faire, ce sera en tout début d'été, moment où on peut couper l'extrémité des tiges afin de favoriser des plants plus ramifiés et donc plus florifères!

EFFET MAXIMAL

La plante décore joliment une tonnelle ou une arche à l'entrée d'un jardin. C'est sans aucun doute le genre de plante que l'on veut voir retomber sur nous, surtout que les fleurs attirent les colibris par milliers! Bon, peut-être un à la fois… Elle peut être plantée à la base d'un tipi de branches ou d'un treillis tressé. Le jasmin trompette peut aussi bien couvrir un pan de mur que garnir une colonne ou un poteau. La plante se marie sans difficulté aux autres plantes grimpantes rustiques, comme les clématites, le houblon ou la vigne vierge.

Il faudra explorer les autres cultivars de jasmin trompette avec prudence, car peu nombreux sont ceux qui survivent à l'hiver sans peine.

Jasmin trompette 'Indian Summer'

TRUC À DÉCOUVRIR

Il est très facile de cultiver les plantes grimpantes
où on le désire. Pour cela
il suffit de construire un
tipi. Six grands morceaux
de bambou, de la ficelle,
et le tour est joué. Au
besoin, selon le type de
plante, on peut recouvrir
la structure ainsi formée
de filet.

Chèurefeuille
'Serotina'

LONICERA PERICLYMENUM 'SEROTINA'

AVEC LEUR DOUX PARFUM et leur forme de trompette allongée, il n'est pas étonnant que les fleurs du chèvrefeuille 'Serotina' soient tant aimées des colibris. De plus, elles sont aussi très appréciées des jardiniers. Ces grappes de fleurs, rose clair, prennent naissance de boutons floraux rouge violacé, presque bourgogne qui, en s'allongeant, tournent au rose foncé. En vieillissant, les fleurs pâlissent vers des tons de crème et de saumon. L'effet d'ensemble est saisissant sans compter que la taille des inflorescences est plus imposante que celle des cultivars plus connus comme 'Goldflame' ou 'Dropmore Scarlet'.

Le chèvrefeuille 'Serotina' s'épanouit de la fin de juin à septembre sans interruption, avec une floraison culminante à la mi-juillet. Rarement, les fleurs laissent place à de petites baies. Même sans fleurs, ce chèvrefeuille est joli, avec son feuillage légèrement bleuté, le plus souvent exempt de maladies et rarement grignoté par les insectes.

COURT OU LONG

Avec ses tiges volubiles et un peu d'aide du jardinier, la plante peut atteindre plus de trois mètres de hauteur. Peu agressives, les tiges doivent souvent être fixées par des attaches. Elles habillent merveilleusement bien les arches, les tonnelles et les ornements de fer forgé. Les tiges plus jeunes sont pourprées, ce qui ajoute en intérêt.

J'aime cette plante...

… pour sa floraison généreuse et vivement colorée ainsi que pour son feuillage rarement attaqué par les maladies.

Certains jardiniers choisissent de tailler la plante pour former un arbuste au port retombant et étalé, qu'ils plantent au sommet d'un muret ou au sol, près de la résidence, en compagnie d'autres arbustes et conifères.

Le chèvrefeuille peut aussi jouer sur les deux plans à la fois. Quand il est planté à la base d'un mur ou d'une cabane de jardin, les branches qui se dirigent vers la surface verticale peuvent être guidées vers le haut sur un treillis alors que le reste de la plante est encouragé à tapisser le sol.

LA CRÈME POUR LA CRÈME

Les chèvrefeuilles 'Serotina' affectionnent les sols plus ou moins riches, meubles et bien drainés. Il ne pousse qu'au plein soleil. Son feuillage dense et fourni permet de conserver la fraîcheur au sol, ce qui est aussi fort apprécié de cette plante résistante aux cerfs de Virginie.

Rustique en zone 5a, il faut s'attendre à ce que quelques branches gèlent lors d'un hiver plus glacial. Rien de bien sérieux, car la plante développe de nouvelles tiges au retour des beaux jours. Cela dit, mieux vaut la cultiver à l'abri des grands vents.

La floraison prend naissance au bout de jeunes tiges qui se développent sur le vieux bois. Autrement dit, il faut éviter de tailler cette plante sévèrement, sinon, la floraison est compromise. On taille donc le chèvrefeuille 'Serotina' au printemps avant la sortie des feuilles. On ne coupe que l'extrémité des tiges, sans enlever plus du tiers de la longueur. Cela est nécessaire pour encourager le développement de tiges nouvelles et vigoureuses, donc porteuses de nombreuses fleurs.

ÉCOLO-CONSEIL

Le jardin est un lieu de fantaisie et tout objet peut changer de fonction. Par exemple, une ancienne tête de lit peut facilement être convertie en treillis décoratif, tout comme les bases grillagées des anciens lits, une étagère de métal, des grilles de fourneau, un cadre suspendu ou de vieux skis réunis un tipi. Bien positionnés et décorés de plantes grimpantes, ces objets, bons pour la casse, peuvent devenir un des attraits principaux du jardin. Soyez original !

Gratte-ciel de l'ombre

**MES PLANTES GRIMPANTES
POUR L'OMBRE PRÉFÉRÉES**

Akébie à cinq
folioles   92

Aristoloche   94

Lierre anglais
'Thorndale'   96

LES JARDINS D'OMBRE sont fascinants. Malgré cette apparente contrainte due à l'absence de lumière, on y crée bien souvent de superbes compositions. Fréquemment, la verdure y domine, créant une ambiance luxuriante, légèrement… ou carrément tropicale, si on choisit ses végétaux en conséquence. Les jardins d'ombre regorgent de fougères, de hostas et, bien sûr, de plantes grimpantes.

Leur choix ne se limite pas aux quelques élues présentées ici. Les vignes vierges, les lierres de Boston, les doliques et les ménispermes sont également de bons sujets pour ces recoins en manque de soleil. Les possibilités sont donc multiples pour orner ces murs orientés au nord, garnir des ornements au pied des grands arbres et, pourquoi pas, pousser carrément sur un grand arbre. L'hydrangée grimpante (*Hydrangea anomala* 'Petiolaris') et ses cousines, l'hydrangée à petites feuilles (*Schizophragma hydrangeoides*) et l'hydrangée à feuilles panachées, accomplissent cette fonction sans difficulté.

Un peu plus étiolées, un peu moins denses, les plantes grimpantes à l'ombre proposent des effets bien différents si on compare les mêmes plantes quand elles poussent au soleil. Il y a une certaine délicatesse qui se dégage de la légèreté du feuillage. Telles des têtes chercheuses, les tiges s'étirent et se tordent vers un soupçon de lumière.

En compagnie des plantes grimpantes, l'ombre est réconfortante et ces rideaux de verdure enveloppent et isolent les jardiniers des bruits de la ville et des soucis du boulot.

Aristoloche et clématite

Akébie à cinq folioles

AKEBIA QUINATA

J'aime cette plante...

… pour l'effet que procure son feuillage dans un jardin d'ombre. J'ai aussi été agréablement surprise par sa bonne rusticité et sa croissance vigoureuse, ce qui me porte à me demander pourquoi cette plante n'est pas plus cultivée dans les jardins.

AVEC SES FEUILLES PALMÉES en forme de doigts de grenouille, l'akébie propose une texture de feuillage différente. Les feuilles qui apparaissent au printemps sont brunâtres. Elles prennent une teinte vert foncé en cours d'été. Le feuillage est luisant et chaque foliole a une forme parfaitement ovale. Cette plante grimpante développe des tiges volubiles ligneuses d'une grande vigueur. Dès la première année de plantation, les rameaux atteignent aisément deux mètres de hauteur. Ils atteindront six ou sept mètres de haut et autant en largeur par la suite.

La floraison a lieu au printemps, au début de juin. Ce sont de curieuses fleurs roses aux pétales bombés. Chaque plant porte des fleurs mâles et des fleurs femelles, ces dernières étant plus grandes et plus foncées. Les deux types de fleurs apparaissent dans une même grappe de fleurs. Même si elle porte le nom de *chocolate vine* en anglais, le parfum des fleurs se rapproche davantage de celui de la vanille. La floraison laisse place à des fruits allongés, en forme de saucisses. Quoique rares, ces fruits sont comestibles.

SOUPÇON D'ASIE

L'akébie fait partie d'une curieuse famille, les lardizabalacées, qui regroupe quelques lianes des régions tropicales, subtropicales ou tempérées. L'akébie à cinq folioles est originaire de la Corée, du Japon et de la Chine centrale, où elle s'enroule ou rampe sur de grandes étendues riveraines. Introduite en Amérique du Nord comme plante ornementale vers 1845, l'akébie s'est naturalisée dans plusieurs États du sud des États-Unis et certains la considèrent comme une plante nuisible. Par chance, le climat froid du Québec ralentit ses ardeurs.

BANC D'ESSAI

Le marché mondial propose quelques cultivars d'akébies à fleurs blanches, roses ou violettes ou encore à feuillage panaché. Ces cultivars restent à expérimenter ici et, sûrement, les résultats de ces essais seront positifs.

PLANTE À CONVOITER

L'akébie à cinq folioles ne présente pas vraiment de difficultés de culture. Elle affectionne les sols plus ou moins riches et bien drainés. Bien rustique en zone 5a, elle fait aussi aux jardiniers le grand honneur de débourrer jusqu'au bout de ses tiges. La taille se résume donc à contrôler sa croissance vigoureuse, ce qui se fait en tout temps, et à tailler l'extrémité gelée des rameaux après la sortie des feuilles. C'est donc un excellent sujet pour les jardins québécois. Même si on vante ici ses mérites à l'ombre, elle convient aussi aux jardins plus ensoleillés.

L'akébie à cinq folioles joue aussi bien le rôle de plante grimpante vigoureuse, que de couvre-sol. Dans ce cas, il est si dense qu'il empêche la germination des mauvaises herbes. Particulièrement à l'aise à l'ombre comme au soleil, il camoufle les murs, les clôtures et les structures. Son feuillage unique se marie merveilleusement avec les plantations à son pied, que ce soit des fougères et des hostas à l'ombre, ou des rosiers au soleil.

ARISTOLOCHIA MACROPHYLLA

IL FAUT VOIR L'ARISTOLOCHE carrément assaillir un treillis pour saisir son importance comme «écran-cache-tout». Les larges feuilles en forme de cœur pouvant atteindre 30 cm de largeur s'emboîtent les unes sur les autres. Vigoureuse à souhait, l'aristoloche reprend vie au ras du sol chaque année. Sous le feuillage, se cachent de discrètes fleurs jaune et brun, en forme de pipe. La floraison a lieu en juin et juillet et présente peu d'intérêt puisqu'elle n'est pas particulièrement décorative en plus d'être dissimulée sous les larges feuilles.

SEMER AVEC DOIGTÉ

On se procure des plants d'aristoloches assez facilement dans les jardineries, mais il est aussi possible d'acheter des semences. On procède au semis en mars. Les graines d'aristoloche exigent un trempage de 24 heures avant d'être semées. Elles sont légèrement recouvertes et placées sous éclairage à des températures chaudes, entre 20 et 25 °C le jour et quelques degrés plus frais la nuit. Les graines germent après 30 à 90 jours.

Aussi appelée *Aristolochia durior* ou *A. sipho*, cette plante vivace rustique en zone 4a est originaire de l'est des États-Unis. Au jardin, elle préfère les sols frais et légèrement humides, mais entre ce que l'aristoloche préfère et ce qu'elle accepte comme conditions de culture, il y a un large fossé où s'empilent les situations les plus exécrables.

J'aime cette plante…

… pour son feuillage bien ordonné et sa capacité de former un écran dense. L'aristoloche crée de véritables murs végétaux en un rien de temps.

Puisque l'aristoloche reprend vie à partir du sol chaque printemps, on peut rabattre les tiges au niveau de celui-ci à l'automne après les grands gels. En été, on ne taille que ce qui obstrue le passage. Peu d'insectes et de maladies s'en prennent à l'aristoloche. Les feuilles sont rarement endommagées.

LE COUVRE-TOUT

Ne gaspillez pas des centaines de dollars en main-d'œuvre pour faire construire des treillis qui mériteraient autant d'attention que les plantes qui y poussent, car l'aristoloche aura tôt fait de les engloutir. De simples lattes de bois ou des treillis de plastiques sont convenables, étant donné qu'ils disparaissent rapidement sous la verdure. L'aristoloche habille bien les murs de la maison. Elle ferme l'extrémité d'un patio ou d'un balcon. C'est la plante idéale pour les propriétaires de maison jumelle, de copropriété ou d'appartement qui recherchent un peu d'intimité.

Ce mur végétal est le fond parfait pour toutes les plantes à fleurs. On peut donc y adosser une plate-bande de vivaces mixtes, une petite collection de roses ou une sélection de plantes à fleurs cultivées en contenant comme les lauriers-roses, les brugmansias et les tibouchinas.

MÉDECINE DOUTEUSE

On reconnaît à l'aristoloche certaines propriétés médicinales, mais personne ne s'entend sur ses propriétés réelles. Peut-être antiseptique, peut-être sudorifique, peut-être toxique. D'un côté, on vante ses mérites anti-tumeur, de l'autre, on précise ses propriétés carcinogènes. Allez savoir !

> ### TECHNIQUE À DÉCOUVRIR
>
> Une belle plante grimpante en pot attend d'être plantée. Avant de la dépoter et d'effectuer la plantation, arrosez-la généreusement afin de bien humecter le substrat de production. Souvent à base de tourbe de sphaigne, ces mélanges sont difficiles à humidifier une fois secs et cela peut nuire à la bonne reprise de la plante, ainsi «emprisonnée» dans un substrat quasi imperméable.

Lierre anglais
'Thorndale'

HEDERA HELIX 'THORNDALE'

J'aime cette plante…

… au feuillage lustré et épais, évocatrice des jardins de Grande-Bretagne. Elle forme un couvert végétal agréable à l'œil.

IL NE FAUT PAS s'emballer trop vite, car, sur des centaines de cultivars de lierre anglais qui existent, seule une poignée résiste à l'hiver québécois. Le cultivar 'Thorndale' est l'un des plus fiables, car il est bien rustique en zone 4a. Le lierre anglais développe un feuillage persistant, triangulaire, épais et lustré d'un vert très foncé. Dans ce cas-ci, le feuillage porte des veines blanches, ce qui rend la feuille plus décorative. Les feuilles matures sont beaucoup plus lobées que les jeunes. Rarement, vers la fin de l'été, la plante produit une floraison blanche, peu intéressante. C'est donc sur le feuillage qu'il faut miser.

PLANTE GRIMPANTE SOUS D'AUTRES CIEUX

Même si le lierre anglais produit des racines aériennes qui lui permettent de s'agripper aux structures rugueuses, au Québec, il est rare de le voir couvrir des murs entiers. Il se répand plutôt comme un couvre-sol dense qui, au contact d'une structure verticale, poursuit sa croissance comme s'il s'agissait d'une autre surface plane. Il peut ainsi gravir un mètre au plus. Toutefois, si on dirige la croissance et on attache les tiges, le lierre anglais peut monter davantage. Cependant, le froid de l'hiver aura raison des tiges qui se situent au-dessus de la couverture de neige.

Le lierre anglais 'Thorndale' est aussi fort habile pour retomber des murets et poursuivre son développement une fois au sol.

BRILLE DANS LE NOIR

À l'ombre dense, voire très dense, le lierre anglais pousse sans sourciller. Les fines veines blanches du feuillage procurent une certaine luminosité. Cela ne l'empêche pas de croître aussi au soleil, à condition que le sol soit frais. Même à l'ombre, le lierre anglais a une préférence pour les sols frais, riches en matières organiques et légèrement acides. La texture du sol peut être sablonneuse ou plus argileuse. Une fois bien planté, avec une généreuse portion de compost, le lierre exige peu du sol.

On connaît au lierre quelques ennemis peu menaçants, comme les pucerons et les cochenilles. On peut déloger les pucerons avec un jet d'eau puissant. Contre les cochenilles, il faudra avoir recours à un savon insecticide. Il est conseillé de réaliser un test préalable avant d'appliquer le produit sur la plante entière, le feuillage du lierre étant sensible à certains produits.

D'AGRÉABLE COMPAGNIE

En plus de ramper, de grimper et de retomber, le lierre est aussi une très bonne plante à cultiver en contenant décoratif. On peut alors diriger sa croissance sur un tuteur décoratif ou une arche de bambou. À l'automne, on replante le lierre en pleine terre, dans un endroit temporaire, comme le potager, pour lui faire passer l'hiver.

Dans les endroits plus ensoleillés, il se marie particulièrement bien aux clématites, puisque son feuillage rampant permet de conserver la fraîcheur du sol. À l'ombre, il côtoie à peu près toutes les plantes du jardin avec facilité. On le cultive en compagnie des hostas et des fougères. C'est la plante idéale, pour jouer sur les contrastes de couleurs, avec des hostas à feuillage vert clair ou chartreuse, des heuchères à feuillage rouge, pourpre ou ambre ou des plantes-araignées (*Chlorophytum* sp.) fortement striées de blanc.

ÉCOLO-CONSEIL

Le lierre anglais, comme bien des plantes du jardin, est une nourriture appréciée des chevreuils. Tenez ces derniers à distance avec la formule suivante. Passez trois ou quatre œufs au mélangeur et diluez-les dans environ quatre litres d'eau. Vaporisez ce mélange sur le lierre et les autres plantes à protéger dans le jardin à raison d'une fois par semaine.

Bizarre bizarre !

**MES PLANTES GRIMPANTES
ORIGINALES PRÉFÉRÉES**

Manettia	100
Aristoloche géante	102
Pois de cœur	104
Dalechampia	106
Bignone du Chili	108
Concombre amer	110
Haricot asperge	112
Gourde	114
Périploca	116
Vanille	118

À FORCE DE VIVRE dans un pays froid, on constate à quel point les habitants du nord rêvent des pays chauds. Aie! Aie! Aie! Leur imagination est frappée par tout ce soleil, cette chaleur et, surtout, toutes ces plantes exotiques aux feuilles et aux fleurs surprenantes. Les régions tropicales du globe abondent de lianes et de plantes grimpantes de toute sorte. C'est en vérité dans ces régions chaudes et humides qu'elles abondent. D'ailleurs, plusieurs plantes grimpantes annuelles et quelques plantes grimpantes vivaces, même rustiques au Québec, sont originaires de ces régions.

La sélection présentée ici s'adresse donc aux amateurs d'ambiances exotiques. Les bananiers, les palmiers, les fuchsias et les fougères luxuriantes sont des accompagnements tout indiqués pour ces plantes grimpantes qui proposent surprise et émerveillement. Fini les fleurs à cinq pétales et les fruits rouges et globulaires. Elles sont remplacées par des fleurs vertes, bourgogne ou d'apparence cireuse, comme on en voit rarement. À moins que cela ne soit par des fruits couverts de verrues, durs comme le bois, tous plus étranges les uns que les autres.

Évidemment, tout ce qui est exotique est frileux. Incapables de résister à un petit zéro sur le thermomètre, la plupart d'entre elles sont conservées à l'intérieur pendant l'hiver. À l'automne, on peut rabattre leurs longues lianes pour faciliter la manutention. On poursuit alors leur culture, dans la maison, comme des plantes d'intérieur ou encore on leur propose un demi-sommeil, en réduisant arrosages, lumière et température jusqu'au retour des beaux jours. Par chance, celles qui ne peuvent survivre à l'intérieur, comme les gourdes ou les haricots asperges, produisent des semences en quantité. De plus, ces promesses du futur se conservent sans effort des années durant.

Aristoloche géante

Manettia

MANETTIA LUTEORUBRA

J'aime cette plante...

... à cause de son feuillage vert éme-
raude, bien foncé, qui met en valeur
les petites fleurs en allumettes hautement colorées. Facile de culture, les
collectionneurs de plantes inusitées
ne pourront s'en passer.

C'EST UNE CURIEUSE plante qui a
fait ses preuves au jardin. Loin
d'atteindre des proportions mons-
trueuses, le manettia dépasse rarement deux mètres de hauteur. Ce
n'est donc pas une plante-écran et
il est préférable de la considérer
comme une plante purement ornementale. Elle convient parfaitement aux treillis ouvragés qui
valent d'être vus autant que la
plante qui s'y agrippe. Le manettia
s'enroule à l'aide de ses tiges volubiles autour des supports de moins
de 5 cm de diamètre.

EXPLOSION DE COULEUR

Originaire du Paraguay, la plante
porte le nom anglais *Brazilian Fire
Cracker*, c'est-à-dire : «feu d'artifice
brésilien». Ce nom lui va assez
bien. Ses fleurs tubulaires, rouge
écarlate à bout jaune vif, disposées
le long de la tige, ne manquent pas
d'attirer l'attention malgré leur
petite taille. Elles sont curieuses, de
texture épaisse, d'apparence cireuse, mais pas lisses. Elles sont nombreuses et la floraison ne cesse que
lorsqu'elle est stoppée par l'arrivée
du froid. Le feuillage bien foncé
du manettia tranche avec les verts
plus tendres des autres plantes du
jardin. *Manettia bicolor* est un synonyme du nom latin.

On pourrait croire que ce coloris particulier des fleurs est assez
unique. Pourtant, une impatiente
exotique, *Impatiens niamniamensis*,
possède des fleurs bicolores d'une
teinte identique à cette petite grimpante. Leur mariage dans une
plate-bande à l'ombre est saisissant.

POUR PETITS ESPACES

En pot ou en pleine terre, le manettia nécessite un sol légèrement humide, bien drainé et riche en matières organiques. Les contenants
ont tout avantage à être placés
dans un emplacement légèrement
à très ombragé. Cela ne nuit en
aucune façon à la floraison, mais
aide la plante à moins souffrir des
manques d'eau. Il faut être vigi-
lant, car le terreau des contenants
s'assèche rapidement. Les sujets
cultivés en pleine terre peuvent
se développer en plein soleil, à
condition que le sol demeure frais.
On parvient à cela en appliquant
une couche de 5 cm d'épaisseur de
paillis à la surface du sol.

Les fleurs tombent parfois au
moment de la plantation, mais ce
n'est qu'une question de jours
avant que de nouvelles fassent leur
apparition. Le manettia aime les
arrosages réguliers et apprécie une
fertilisation mensuelle avec un engrais liquide riche en phosphore.

UNE RENTRÉE HÂTIVE

En tant que plante exotique, le
manettia est souvent cultivé comme
une plante annuelle. Il est possible
de la rentrer à l'intérieur pour
l'hiver, mais il ne faut pas attendre

l'arrivée du point de congélation.
Lorsque la température nocturne
atteint 10 °C, il est temps de rempoter la plante et de l'installer dans
la maison. Un peu difficile à conserver, son lieu de prédilection
pour la culture intérieure est le
plein soleil dans une pièce fraîche.
La plante produit rarement des
semences.

TECHNIQUE
À DÉCOUVRIR

Les plantes d'origine tropicale, comme le manettia ou le bougainvillier, ont tout avantage à être cultivées en contenant décoratif. Ceci facilite leur rentrée dans la maison pour l'hiver. Fini les dégâts de terreau d'empotage. À l'arrivée du temps froid, rentrez tout, le pot et la plante, après avoir fait une petite inspection pour dépister les insectes ravageurs. Au printemps, remettez le pot et son occupante dans le jardin pour une nouvelle saison de culture extérieure.

Les fleurs d'aristoloche géante sont très originales, quel que soit l'angle sous lequel on les admire.

Aristoloche géante en bouton

Aristoloche géante

ARISTOLOCHIA GIGANTEA

J'aime cette plante...

… évidemment pour sa floraison curieuse, une immense fleur bourgogne à craquelures beiges. Je suis aussi restée surprise par sa facilité à émettre des boutons floraux sans aucun soin particulier. Une des fleurs les plus étranges du royaume végétal.

BEAUCOUP DE CONFUSION existe quant à l'identification de cette espèce souvent méprise avec l'aristoloche à grandes fleurs (*A. grandiflora*). Cette dernière possède un long appendice à la base du pétale qui s'allonge vers le bas sur parfois plus de 30 cm de longueur.

UNE FLEUR INGÉNIEUSE ET SOURNOISE

L'aristoloche géante possède une fleur en forme de cœur inversé. Cet immense pétale peut avoir jusqu'à 25 cm de diamètre. Il est fixé à un tube recourbé, qui donne à la fleur l'apparence d'une pipe néerlandaise, d'où son nom anglais de *Dutchman's Pipe*. Quoi qu'il en soit, la fleur a développé un astucieux mode de reproduction. Elle libère une odeur nauséabonde qui attire de nombreux insectes et les emprisonne jusqu'à ce que les organes reproducteurs soient matures. La floraison peut demeurer ininterrompue de mai à septembre. Celle-ci perd sa vitesse de croisière lorsque les températures sont plus fraîches, preuve qu'il s'agit vraiment d'une habituée des tropiques.

L'aristoloche géante développe des tiges volubiles à croissance très rapide. Dans son pays d'origine,

le Panama, où elle se comporte comme une plante vivace, elle finit par développer un tronc ligneux. Elle est rustique en zone 9. Sous notre climat, elle ne produit que des pousses vertes et tendres. En un rien de temps, elle atteint cinq mètres de hauteur et peut monter davantage si on lui en offre l'opportunité. Elle s'enroule tant autour d'une ficelle que d'un support ayant 10 cm de diamètre. Elle couvre environ deux mètres de largeur.

Les feuilles sont de forme triangulaire, lisses et sont souvent toutes orientées dans la même direction. C'est à la base de chaque feuille que se développent les boutons floraux. Dans de très bonnes conditions, la plante pourrait donc émettre une fleur par feuille !

PAS FACILE À DÉNICHER, MAIS TRÈS FACILE À CULTIVER

Les aristoloches géantes sont peu commercialisées au Québec et il est cependant possible de dénicher des plantes cultivées en contenant dans les pépinières qui ont l'habitude d'offrir des plantes inhabituelles. On peut multiplier l'aristoloche par bouturage de tige dans un substrat humide. Enfin, on peut se risquer à démarrer les aristoloches géantes par semis. Les semences ont une durée de vie très courte, d'où l'importance de semer des graines fraîches, achetées à l'automne et semées dès leur réception.

Par contre, une fois mises en terre, les aristoloches géantes se développent avec rapidité. Ce sont des plantes gourmandes en arrosage, surtout si on veut profiter de la floraison. C'est pourquoi il est sage de les planter dans un sol qui est déjà naturellement frais. Même si elles poussent bien au plein soleil, elles ne boudent pas une exposition mi-ombragée, comme un endroit recevant six heures de soleil tamisé par jour. Elles sont aussi friandes d'engrais riche en phosphore. Une application tous les 10 jours est souhaitable.

TROPICAL JUSQU'AU BOUT

Son allure exotique en fait d'ailleurs une bonne compagne des fougères et des hostas à feuillage géant, comme l'hosta 'Sum and Substance'. On peut aussi l'accompagner de bulbes d'été originaux comme les ismènes (*Hymenocallis* sp.) ou les eucomis (*Eucomis comosa*). Sa bonne vigueur lui permet de rivaliser avec la passiflore pour un même treillis.

CONSEIL DE L'AUTEURE

L'arrosage des plantes grimpantes, comme de toute autre plante du jardin, semble évident et, pourtant, certaines plantes souffrent de manque d'eau même si elles sont arrosées tous les jours. Mieux vaut arroser deux fois par semaine en profondeur que tous les jours en surface.

Pois de cœur

CARDIOSPERMUM HALICACABUM

J'aime cette plante...

… pour ces fruits gonflés comme ceux de l'amour-en-cage (*Physalis alkekengi*). Loin d'être une plante grimpante spectaculaire, elle demeure une curiosité très facile à cultiver.

LES POIS DE CŒUR figurent parmi ces plantes hors de l'ordinaire. Avec un feuillage légèrement bleuté, à la fois découpé et arrondi, et une floraison de minuscules petites fleurs blanches, cette plante n'attire pas beaucoup l'attention. C'est tout de même une plante grimpante fort originale qui est intéressante pour sa fructification. Le fruit est une capsule renflée qui rappelle une lanterne chinoise en papier de soie. D'abord de couleur verte, ces fruits jaunissent vers la fin de l'automne et persistent sur la plante une bonne partie de l'hiver.

Cette plante grimpante annuelle se développe avec vigueur et peut atteindre plus de deux mètres de haut. Sans être dense, le feuillage est tout de même capable de couvrir les treillis et les filets qu'on lui propose comme supports de croissance. La plante s'accroche à l'aide de petites vrilles au bout desquelles se développent les fleurs et éventuellement le fruit. Un plant occupe au plus 50 à 75 cm de largeur.

POUSSER AISÉMENT

Les pois de cœur sont très faciles de culture et ne nécessitent qu'un sol idéalement neutre, meuble et bien drainé. Ils aiment les arrosages réguliers, mais tolèrent très bien des périodes de sécheresse. Ils affectionnent le plein soleil. Dans ces bonnes conditions de culture,

ils poussent à peu près tout seuls et demandent peu de soins. Les insectes ravageurs et les maladies ne s'intéressent pas à cette plante.

Cette curiosité du jardin est vendue en plants dans les jardineries spécialisées dans ce qui est hors de l'ordinaire. Les semences sont aussi mises en marché dans certains catalogues. On sème ces grosses semences noires en février ou mars dans un terreau humide. Les graines sont légèrement recouvertes et les plateaux à semis sont placés à la lumière et au chaud, entre 18 et 21 °C. Elles germent au bout de trois semaines. La lumière et la chaleur sont essentielles à sa germination.

Dans le jardin, le pois de cœur a aussi la propriété de se ressemer de lui-même d'année en année, à condition qu'on laisse les plants au jardin en automne. Rien de bien envahissant. Les quelques plants qui font leur apparition au printemps peuvent être repiqués aux endroits désirés et les revoilà partis.

LA SURPRISE DE L'AUTOMNE

On a tout intérêt à cultiver cette plante en hauteur afin de bien profiter des fruits retombants. Les arches, les tipis ou les tonnelles sont des structures parfaites pour les pois de cœur. Il peut être intéressant de cultiver cette plante grimpante en mariage avec quelques plantes grimpantes annuelles. Ainsi, les autres grimpantes offrent leur spectacle floral durant l'été et les pois de cœur prennent la relève en automne et en hiver.

CONSEIL DE L'AUTEURE

Les pois de cœur ne sont pas les seules plantes grimpantes à offrir une fructification intéressante. Oui, bien sûr, il y a toutes les plantes à fruits comestibles, comme les vignes à raisin, les kiwis rustiques ou les courges. Les fruits des clématites, des ampélopsis, des concombres sauvages et du houblon sont aussi fort jolis et peuvent agrémenter un jardin de fin d'été, d'automne, et même d'hiver.

DALECHAMPIA DIOSCOREIFOLIA

J'aime cette plante...

... à cause de ses fleurs qui rappellent des papillons aux ailes déchirées. Un joli rose foncé qui s'harmonise bien avec le feuillage légèrement teinté de gris.

VOICI UNE PLANTE qui est assez charmante comme fleur sans pétales. Eh oui! Ce sont les bractées, ces feuilles déguisées, qui donnent aux fleurs de la dalechampia tout son attrait. En fait, les véritables fleurs sont minuscules et jaunes, rassemblées au centre de ce nœud papillon. Avec ses deux bractées complètement rose bonbon, on la voit bien se mesurer aux poinsettias. Il y a effectivement un lien filial entre ces deux plantes, car elles font toutes deux parties de la famille des euphorbiacées. Ce qui indique aussi que les tiges de la dalechampia laissent écouler une sève laiteuse.

FULGURANTE

À croissance rapide, ces tiges volubiles peuvent gravir plus de cinq mètres de haut en l'espace de quelques semaines. Plutôt verticale dans sa croissance, on espace les plants de 60 cm au moment de la plantation. Le feuillage à texture rugueuse, en forme de cœur allongé, laisse toute la place aux fleurs. Celles-ci apparaissent à l'aisselle des feuilles sur des pédoncules rigides. La floraison est continue, mais est surtout présente en fin d'été.

La dalechampia aime tant le plein soleil que l'ombre légère et elle préfère les sols riches avec un bon drainage. Elle apprécie plus que tout les endroits chauds et humides qui lui rappellent ses tropiques natals. Pour une floraison généreuse, il faut arroser la plante régulièrement et s'assurer qu'elle ne manque pas d'eau. Une fertilisation granulaire au moment de la plantation ou une application liquide aux deux semaines est aussi souhaitable.

La plante est encore rare, tant sur le marché des plants produits en pots que des semences. Toutefois, tout jardinier déterminé saura mettre la main dessus.

ON LA RENTRE

C'est évidemment une plante tropicale, originaire du Costa Rica et du Pérou. Dans son milieu naturel, les bractées sont habituellement blanches veinées de rose. C'est donc une sélection améliorée que l'on cultive dans les jardins. La dalechampia peut survivre à un gel léger, jusqu'à -4 °C, mais il est préférable de la rentrer dans la maison pour l'hiver lorsque la température de nuit oscille autour de 5 °C. Deux solutions s'offrent alors. La première est de couper la plante à 20 cm du sol et de l'empoter. Cela permet de la manipuler plus facilement lors de son transfert vers l'intérieur. La seconde est de prélever des boutures sur les portions de tiges semi-ligneuses, de les enduire d'hormone de croissance n° 2 et de les insérer dans un mélange moitié terreau, moitié vermiculite. À l'intérieur, que ce soit le plant mère ou des boutures, on lui fournit une lumière indirecte et des températures entre 15 et 18 °C.

Puisque la floraison de fin d'été de la dalechampia coïncide avec celle du bougainvillier, qui lui aussi porte des bractées colorées, les deux plantes se marient bien. La dalechampia est aussi fort intéressante en compagnie des floraisons d'automne, comme celle des anémones japonaises ou du chrysanthème 'Clara Curtis'. Elle est particulièrement attrayante cultivée sur une colonne ou un poteau.

ÉCONO-CONSEIL

Ce ne sont pas toutes les maisons qui sont abondamment fenêtrées. Aussi ce n'est pas toujours près des fenêtres qu'il y a de l'espace pour la culture des plantes survivantes du jardin. Pour ceux qui n'ont pas les conditions de lumière idéales, l'éclairage artificiel s'impose. Même s'il se vend des tubes fluorescents fort dispendieux spécialement conçus pour la culture intérieure, on peut très bien réussir avec de simples tubes de 30 watts, de type «Cool White». Au moins cinq fois moins dispendieux, seul un expert verrait la différence.

Bignone du Chili
Eccremocarpus scaber

J'aime cette plante...

... pour ses fleurs vivement colorées rassemblées en grappes allongées. C'est aussi une championne pour attirer les colibris.

Qu'elle est mignonne la bignone du Chili, avec ses grappes allongées de fleurs tubulaires d'un jaune orange très voyant! En fleurs continuellement, c'est effectivement une plante fort appréciée des colibris. Elle s'accroche par des vrilles situées au bout des feuilles qui ressemblent à celles de la tomate. Même si on lui attribue l'exploit d'atteindre cinq mètres de hauteur, deux mètres seraient plus justes.

Des centaines de fleurs, peu de feuillage

Somme toute, la plante est assez légère dans son apparence, par opposition à certaines plantes grimpantes qui forment des écrans denses. Il est donc préférable de la combiner à d'autres plantes grimpantes ou de la cultiver sur des treillis hautement décoratifs. Le fer forgé joliment travaillé lui convient. Parmi les plantes grimpantes compagnes se trouvent les clématites à larges fleurs, en particulier les variétés à fleurs bleu pur ou violet foncé qui contrastent magnifiquement avec les fleurs de la bignone du Chili. Les cultivars 'Niobe' et 'Étoile Violette' sont de ce groupe. La bignone du Chili accompagne aussi les gloires du matin.

Un semis qui s'allonge

Originaire du Chili et du Pérou, comme son nom le suggère, cette espèce est la plus populaire et la plus cultivée dans les jardins. On trouve des plants de bignones dans la section des plantes d'intérieur et dans quelques pépinières spécialisées. Aussi, il est facile de multiplier la plante par semis. En effet, la floraison cède le pas à de grosses capsules. D'abord vertes, elles brunissent puis s'ouvrent pour libérer les semences.

Les graines sont semées en mars dans un terreau humidifié. À peine recouvertes, on les place dans un endroit frais, autour de 10 °C, à la lumière. La germination est inégale, ce qui veut dire que les premières germinations apparaîtront au bout de 14 jours, mais qu'il faudra attendre un à deux mois pour que la majorité des graines germent. Par la suite, on repique les jeunes plants qui ont deux à quatre feuilles et on replace le plateau à semis pour que les autres graines poursuivent la germination. Il n'est pas rare de voir la bignone du Chili fleurir dès l'année du semis.

Au jardin, la bignone du Chili affectionne le plein soleil et les sols neutres à légèrement acides, riches et bien drainés. Elle accepte aussi de pousser dans les sols pierreux. Même si la bignone du Chili fait bonne figure dans le jardin, elle est aussi fort jolie lorsque cultivée en contenant décoratif, accompagnée d'annuelles colorées. Finalement c'est un très bon sujet à laisser croître dans les arbustes et les petits arbres.

Technique à découvrir

Les branches issues de la taille des arbres et des arbustes peuvent, avec un peu de doigté, être transformées en magnifiques treillis. Utilisez du fil de fer galvanisé pour attacher ensemble les différentes parties du treillis et vissez les branches de plus gros calibre. Évitez les branches de bouleau qui se désagrègent trop vite. Favorisez les branches colorées, comme celles des cornouillers.

MOMORDICA CHARANTIA

J'aime cette plante...

… car je découvre depuis peu tous ces légumes étranges à mes yeux nord-américains, mais qui sont communs et prisés sur d'autres continents. Une petite visite dans les potagers communautaires de l'ouest de Montréal fait voir le monde horticole sous un autre angle.

QUI DIT CONCOMBRE dit plante vigoureuse, rampante ou grimpante et fruits généreux. Le concombre amer est tout cela, mais diffère par sa saveur effectivement amère et la forme grossière des fruits. En plus de pouvoir consommer ce fruit au goût particulier, on en mange également les jeunes pousses. Le fruit est habituellement récolté lorsqu'il est très jeune et encore vert. Il ressemble à un concombre de 5 à 25 cm de long recouvert de côtes ridées et de stries blanches. On dirait des verrues. En vieillissant, il prend une teinte orangée, signe que les semences, grosses et rouges, sont mûres et prêtes à être récoltées. Comme toutes les plantes de cette famille, la production de graines est généreuse. La semence elle-même est spéciale. Une fois nettoyée et séchée, elle prend une coloration brun foncé et s'avère tout aussi ridée que le fruit.

Les origines de cette plante demeurent obscures, puisqu'elle est cultivée depuis des siècles dans toute la zone équatoriale, tant en Asie qu'en Amérique ou en Afrique. La plante est très cultivée en Chine pour ses propriétés médicinales. Entre autres choses, on la recommande aux diabétiques et elle est en période d'essai dans les recherches pour lutter contre le virus du sida.

VIVE LES GRANDS ESPACES

Le concombre amer pousse dans un sol très riche en matières organiques, donc abondamment amendé de compost. En vérité, la plante peut pousser directement dans le compost bien décomposé, tant elle est friande de matières organiques. Le sol doit être bien drainé et la plante exige le plein soleil. Côté arrosage, mieux vaut être généreux. Plantée dans de telles conditions, elle se développe avec vigueur et peut couvrir au sol deux mètres en largeur. Elle atteindra les mêmes proportions en hauteur si on lui permet de s'accrocher à un treillis à l'aide de ses vrilles.

Le feuillage est beaucoup plus découpé que celui de ses cousins du potager traditionnel, les courges ou les melons.

Il compte de 3 à 7 lobes profonds. Le fruit est précédé d'une fleur jaune clair à cinq pétales, elle aussi comestible. Comme c'est le cas pour beaucoup de cucurbitacées, le concombre amer est monoïque, ce qui signifie que les fleurs mâles et les fleurs femelles se développent séparément sur la même plante.

UN DÉBUT

Comme à peu près toutes les plantes bizarroïdes de ce chapitre, s'approprier le concombre amer n'est pas facile. Heureusement, quelques grainetiers offrent des semences. On peut aussi dénicher des fruits matures dans les quartiers chinois des grandes villes et en extraire des graines. Le semis se fait à l'intérieur en mai dans des godets individuels et dégradables. On recouvre les semences d'environ un centimètre et on place les plateaux dans un endroit éclairé et chaud. Les graines germent en deux ou trois semaines. On attendra deux semaines après le dernier gel printanier avant de planter au potager. Pour former des plants plus ramifiés, il suffit de pincer les jeunes plants immédiatement après la plantation. Rien de sévère. On ne retire que l'extrémité de la tige avec ses jeunes feuilles en devenir, sans plus.

CONSEIL DE L'AUTEURE

La famille des cucurbitacées offre de nombreuses espèces méconnues et plus curieuses les unes que les autres. La courge serpent (*Trichosanthes cucumerina* var. *anguina*), l'éponge végétale (*Luffa cylindrica*) et l'épineux concombre des Antilles (*Cucumis anguria*) sont à essayer.

Luffa cylindrica

Haricot asperge
VIGNA UNGUICULATA SESQUIPEDALIS

J'aime cette plante...

… captivante par la longueur de ses gousses et son extrême facilité de culture même dans les sols asséchés dans tous les sens du terme.

DE LOIN, ON CROIRAIT un traditionnel haricot, avec ses feuilles à trois folioles. Ce n'est qu'à quelques mètres que l'on commence à distinguer les longues, très longues gousses. Viennent-elles de Mars? Peut-être, car l'origine du haricot asperge demeure incertaine. Le genre *Vigna* est très vaste, avec près de 200 espèces à lui seul. On y trouve la fève mung et bien d'autres fèves populaires en Afrique.

Le haricot asperge est aussi appelé le haricot kilomètre, ce qui n'est pas surprenant, car les gousses, ces fins fils, peuvent mesurer de 30 à 90 cm de long. Elles se développent toujours par paire. Oui, elles se mangent. On consomme les jeunes gousses, et aussi les graines séchées. Les fruits sont précédés par des fleurs typiques des légumineuses, aux beaux coloris de pêche.

PETITE MISÈRE

Assez curieusement, cette plante potagère que l'on découvre à peine, a une importance économique puisqu'elle couvre près de 13 millions d'hectares de culture. C'est surtout dans les pays en développement qu'elle abonde, car elle est capable de pousser dans des conditions environnementales extrêmes. Les sécheresses, les sols pauvres et les températures cuisantes

l'effleurent à peine. Bien sûr, le haricot asperge affectionne les sols moyennement riches, meubles et bien drainés, conditions idéales pour sa culture. Des arrosages réguliers sont aussi souhaitables pour soutirer tout son potentiel. Le plein soleil est obligatoire à cet amoureux de la chaleur. En sol frais ou dans un endroit ombragé, le haricot asperge perd de l'altitude. Là où il fait trop chaud, même pour le haricot grimpant, il est heureux. Il demeure sensible aux mêmes envahisseurs que le haricot grimpant, quelques pucerons, les altises et un virus, rien de mortel.

De plus en plus de grainetiers offrent maintenant des semences du haricot asperge. On le sème directement au jardin lorsque les risques de gels sont écartés en les enterrant sous un centimètre de sol. On espace les graines de 30 cm. Elles germent au bout de deux semaines environ, puis se développent rapidement pour atteindre facilement deux mètres de hauteur.

LE LÉGUME-ÉCRAN

Dans certains pays, on cultive le haricot asperge en compagnonnage avec le maïs qui lui sert de support de croissance. Des perches ou un filage tendu entre deux poteaux est tout ce qu'il faut pour

aider les tiges volubiles à s'enrouler. Appartenant à la catégorie des légumes, il a toute sa place dans le potager, mais c'est aussi une bonne plante-écran, capable de camoufler une vue indésirable. C'est une bonne idée de la cultiver sur le dos d'une arche, et ainsi de lui laisser pendre ses longs haricots dans le passage.

TECHNIQUE À DÉCOUVRIR

Un peu fatigué de devoir saluer le voisin chaque fois que vous vous installez au jardin? Les plantes grimpantes peuvent vous être très utiles. Installez un simple panneau de treillis en latte de bois de manière à bloquer la vue de cet indésirable intrus et garnissez-le de plantes grimpantes vigoureuses.

J'aime cette plante…

… car les gourdes sont des fruits curieux et très amusants. Aussi durs que du bois, on peut les transformer en mangeoires d'oiseaux, en instrument de musique ou simplement les exposer comme des chefs-d'œuvre de la nature.

Tout est dans le hamac!

LAGENARIA SICERARIA

IL Y A BIEN PEU à manger dans ces fruits que l'on confond avec les courges, les pâtissons ou les potirons. La gourde est constituée d'une écorce extérieure dure, d'un soupçon de chair à l'intérieur et de quelques graines. Plusieurs nations utilisent d'ailleurs les gourdes comme instrument de musique ou les transforment en ustensiles. C'est aussi le fruit parfait pour créer une mangeoire à oiseaux naturelle. Ceux qui les consomment les récoltent très jeunes, dès que les fleurs se fanent au bout du fruit, mais perdent ainsi la chance de développer leurs talents d'artistes.

De nombreuses variétés de gourdes existent, chacune avec sa forme particulière. Il y a des gourdes en forme de bouteille, de trompe, de cygne ou de massue. Il y a des sphères parfaites et des fruits tordus. Certaines sont grosses comme un œuf, d'autres grosses comme un ballon de basket-ball. Généralement, le nom de la variété correspond à la forme de la gourde.

TOUT EST DANS LE HAMAC

Les gourdes développent un feuillage similaire à celui du concombre, de grandes feuilles cordées sur des tiges poilues. Les fleurs sont blanches et n'ouvrent que le soir. Les tiges s'allongent et grimpent jusqu'à quatre mètres de hauteur en une saison. Elle s'accroche solidement à l'aide de vrilles vigoureuses. Les arches et les grands treillis reçoivent bien les gourdes. Sans support pour grimper, elles font de bonnes plantes tapissantes, mais elles prennent beaucoup d'espace.

De plus, on a tout intérêt à les faire grimper si on veut permettre aux fruits de mûrir uniformément. Les fruits en question peuvent devenir très pesants en mûrissant, parfois trop lourds pour que la plante les supporte. C'est à ce moment que l'on confectionne des hamacs avec des bandes de tissu ou de vieux bas nylon. On attache les extrémités du morceau de tissu sur le support et on dépose le fruit dans son lit douillet.

TOUT EST DANS LA GRAINE

Elles sont très faciles à trouver, tant en plants qu'en semences. On sème les gourdes à l'intérieur, au début de mai dans un terreau humide, dans des godets individuels et biodégradables. Les graines germent en environ trois semaines. La transplantation au jardin se fait deux semaines après les derniers gels.

TOUT EST DANS LE SOL

Comme bien des plantes de cette famille, les gourdes ont une préférence pour les sols très riches en matières organiques, le plein soleil et des arrosages constants. Les apports de compost ou de fumier, à l'automne avant leur plantation printanière, sont très appréciés des gourdes. Selon les bons soins, un plant produira entre deux et dix fruits.

TOUT EST DANS LE SÉCHAGE

Une fois récoltée, il faut procéder au séchage. Pas de secret, la gourde va perdre sa belle teinte uniforme et se tacheter de moisissures.

Cela est normal et inévitable. On laisse la gourde dans un débarras ou un garage le temps qu'elle durcisse, ce qui prend tout l'hiver. On sait que la gourde est prête lorsque les graines à l'intérieur résonnent comme un hochet. Ce n'est habituellement qu'au printemps que l'on pourra la découper ou la peindre.

CONSEIL DE L'AUTEURE

Combinez les pois grimpants et les gourdes sur un même treillis. Plantez les gourdes à environ 75 cm du treillis où pousseront les pois et dirigez les tiges vers le treillis. La production des pois est hâtive et se termine vers la fin du mois de juillet. À ce moment les plants de pois jaunissent. Quant aux gourdes, elles ont un début de saison au ralenti. Leur explosion arrive avec les chaleurs de juillet. Le feuillage des gourdes aura vite fait de camoufler le feuillage jaunissant des pois qui cède volontiers la place à «l'envahisseur».

Périploca

PERIPLOCA GRAECA

J'aime cette plante…

… car elle faisait partie d'une collection de plantes grimpantes que j'ai expérimentées il y a quelques années et que ce fut la seule survivante. En plus, elle a un potentiel ornemental fort intéressant.

C'EST EN VÉRITÉ la plante la plus rare et la plus méconnue de toutes. Le périploca, originaire de l'Asie Mineure, est offert par très peu de pépiniéristes et la seule manière de se procurer des semences est par commande postale. C'est une plante grimpante de la famille des asclépiades qui produit une sève laiteuse et un fruit, une capsule allongée et gonflée, dans laquelle se cachent des semences soyeuses. Le périploca porte le nom anglais de *Silk Vine* pour cette raison. Le fruit rappelle en effet celui des «petits cochons», l'asclépiade commune de notre flore.

PARFUM DOUTEUX

Le périploca renaît du sol chaque printemps et développe des tiges volubiles qui s'enroulent facilement autour des ficelles, des tuteurs de bambous et des tiges de métal. Le feuillage lustré, lancéolé et opposé, est d'un vert très foncé, presque teinté de violet. C'est l'un des attraits de cette plante. Le feuillage n'est pas endommagé par les parasites et sa couleur sombre se démarque de toute autre tache de verdure. En juillet, apparaissent les petites fleurs violet foncé réunies en grappes lâches. De texture épaisse, le derrière de ces petites fleurs est parfois teinté de jaune. Sur un plant mature, cette floraison prend la forme d'un nuage fleuri qui englobe le feuillage. Ce n'est pas la plante à placer près du rebord d'une fenêtre, car les fleurs dégagent un parfum pas particulièrement savoureux, mais pas puissant non plus. Toutefois, elles attirent de nombreux insectes et des papillons.

Le périploca pousse dans un sol plus ou moins riche, meuble et bien drainé. Alors que les arrosages réguliers favorisent un développement plus rapide de la plante, elle peut survivre à des périodes de sécheresse sans difficulté. Le périploca pousse très bien au plein soleil.

MULTIPLICATION À DEUX VITESSES

Le semis exige un peu de doigté, car les semences prennent plus d'un mois pour germer et le taux de germination est faible. On sème en février, dans un terreau humide à des températures de 17 à 20 °C. Dès la première année, les jeunes plantules peuvent être mises directement en pleine terre dans le jardin. La grande surprise, c'est que cette plante des pays chauds survit aux hivers en zone 5a sans protection hivernale.

L'autre possibilité pour multiplier le périploca est le bouturage, plus facile à réussir. On prélève des tiges herbacées en août que l'on trempe dans une hormone de croissance n° 1 et que l'on plante dans un mélange à parts égales de sable et de terreau humide. Placées sous un dôme, les boutures prennent quatre semaines pour s'enraciner.

LA PLANTE DES POSSIBILITÉS

Au jardin, le périploca se marie très bien avec d'autres plantes grimpantes et réussit à rivaliser même avec les plus vigoureuses. Les années nous diront si la plante est capable par elle-même de remplir un treillis de son beau feuillage foncé. La forme très régulière de la tige et du feuillage qui s'enroule autour d'un tuteur promet bien des regards ravis. Il faut exploiter ce feuillage foncé avec des verdures plus tendres ou miser sur des feuillages pourpres très foncés pour une allure plus contemporaine.

ÉCOLO-CONSEIL

Vous pourrez récolter et préserver des semences sur de nombreuses plantes grimpantes. Pour les entreposer, recyclez des petits pots à pilules. Une fois rincés à l'eau claire, puis séchés, ces contenants sont parfaits. Ils ont un bon format, ils sont suffisamment hermétiques pour ne pas laisser échapper les semences et ils sont transparents. Écrivez sur un bout de papier le nom de la plante et glissez le papier contre la paroi de plastique. Les capsules à pellicule photo sont aussi des contenants intéressants.

Vanille

VANILLA PLANIFOLIA

J'aime cette plante…

… mais voyons, qui n'aime pas la vanille? Quel arôme! Je l'aime, car c'est une orchidée, une liane aux allures tropicales, une fleur verdâtre et un fruit oh! Quel fruit!

IL FAUT BIEN qu'elle vienne de quelque part cette délicate essence qui parfume aussi bien les chandelles que les desserts. En effet, la vanille est une liane et plus spécifiquement une orchidée, la seule de cette vaste famille à produire un fruit comestible. Découverte en Amérique du Sud, la vanille a ensuite été importée et mise en production dans toutes les îles chaudes et les pays tropicaux. Sa culture est particulière, car les fleurs jaunes doivent être fertilisées à la main et on doit limiter le nombre de fleurs fertilisées pour obtenir des gousses de première qualité. En effet, c'est la gousse, longue et mince, qui, une fois séchée, donne ce si doux parfum à la crème glacée.

RÊVER EN COULEUR

Au jardin en été, dans la maison en hiver, il y a très peu de chances de voir apparaître une fleur, car la plante doit être mature et très développée pour initier une floraison. Aussi la fleur ne dure que huit heures environ. Par contre, les tiges en zigzag et le feuillage épais et luisant de la vanille en font une plante grimpante totalement exotique. Si jamais elle fleurissait…

Les plants de vanilles sont assez faciles à se procurer puisqu'ils sont commercialisés par un important producteur d'orchidées du Québec (*voir références p. 189*) et distribués dans de nombreux centres de jardins.

CÔTÉ COUR

On pourrait croire que la vanille est une plante capricieuse et impossible à cultiver en climat nordique. Pourtant, elle se développe plus facilement que bien des orchidées plus populaires. Dans le jardin, on fait pousser la vanille à l'ombre, sous le couvert des arbres. La plante est très souvent cultivée sur un bloc de fougère compressée et suspendue à une branche. Ses longues tiges sont alors dirigées vers l'endroit où on veut les voir. La vanille développe des racines aériennes qui s'enfoncent dans un substrat humide, mais très aéré. On ne plante pas la vanille dans un pot de terreau comme une plante ordinaire. On la cultive sur la fougère compressée, comme mentionné ci-dessus, sur de la sphaigne longue, de la fibre de coco ou des écorces déchiquetées.

La vanille exige un taux d'humidité élevé. Elle doit être vaporisée avec une fine bruine tous les jours. En été, on peut la fertiliser en lui proposant une demi-dose d'un engrais équilibré, toutes les deux semaines.

CÔTÉ MAISON

À l'intérieur, la vanille ne recherche pas la pleine lumière. Une lumière indirecte, en provenance de l'ouest est très convenable. Encore une fois le taux d'humidité doit être élevé et une vaporisation quotidienne avec de l'eau est nécessaire.

Idéalement la température de jour doit être très chaude, à plus de 20 °C, et la température de nuit plus fraîche, autour de 16 °C. La salle de bain, pièce habituellement plus humide que le reste de la maison, convient à la culture de cette liane.

Si elle en a la possibilité, la vanille s'agrippe à l'aide de ses racines aériennes, mais en règle générale, il faut l'attacher et la guider. Un plant peut atteindre plus de quatre mètres de long, mais, étant donné qu'elle se déplace du jardin à la maison deux fois par an, la plante croît avec plus de retenue.

CONSEIL DE L'AUTEURE

Contrairement à de nombreuses plantes grimpantes, la vanille mérite d'être cultivée seule. Évitez les associations de plantes grimpantes qui camoufleraient les tiges zigzagantes de la vanille. Entortillez la plante sur les arbres et les structures environnantes, idéalement près de la terrasse. Permettez à la plante d'être vue en l'éloignant de la végétation dense des plates-bandes.

Parfums célestes

Mes plantes grimpantes parfumées préférées

Pois de senteur
'Cupani's Original'   122

Rosier grimpant
'Leverkusen'   124

Rosier grimpant
'John Davis'   126

Les yeux, les yeux, toujours les yeux. Pourquoi pas le nez? Elles sont nombreuses les plantes qui, au cours de leur évolution, ont utilisé l'odeur comme stratagème pour éloigner les prédateurs et plus tard dans l'évolution, pour attirer les insectes pollinisateurs. En effet, l'odeur des fleurs est à l'origine une ruse pour attirer ces insectes responsables de la survie de l'espèce. Un bon parfum, un peu de nectar et oups! Le bourdon en question piétine étamines et pistil, permettant au pollen mâle de faire le grand saut.

Parmi les parfums les plus suaves, toutes catégories confondues, celui des pois de senteur tient une place pas très loin du premier rang. Le parfum des roses le suit de près. Difficile cependant d'établir clairement qui l'emporte au panthéon des parfums, car l'odorat est un sens des plus personnels et des plus complexes. D'abord, le cerveau tranche: cette odeur est-elle agréable ou pas? La réponse tient compte de nos origines culturelles et de notre mode de vie. Ensuite arrive le subconscient, qui tente de qualifier le parfum en recherchant des références dans la mémoire olfactive. Si un jour vous avez aidé grand-mère à tailler des buissons de roses par une belle journée ensoleillée, ce souvenir et ce parfum se graveront dans votre mémoire. Une seule bouffée de ce parfum vous fera revivre ce moment précieux à vos yeux. L'odorat est le sens de la sensibilité.

Il va sans dire que tout ce qui est agréablement parfumé mérite d'être planté à portée de nez. On tâche de planter les rosiers grimpants sur les murs de la maison, près des fenêtres et des portes. On plante les pois de senteur à l'abri des grands vents pour emprisonner leur odeur.

Pois de senteur 'Annie B. Gilroy'

Pois de senteur
'Cupani's Original'

LATHYRUS ODORATUS 'CUPANI'S ORIGINAL'

Un trempage dans l'eau tiède des semences de pois de senteur 24 heures avant le semis favorise la germination.

J'aime cette plante...

... évidemment pour son parfum renversant et ses couleurs vives. C'est aussi la variété qui a le mieux réussi dans mon jardin. Enfin, j'ai un faible pour les variétés anciennes et le monde des pois de senteur abonde en variétés issues du XVIIe et du XIXe siècle.

CET HYBRIDE EST la variété la plus ancienne de pois de senteur. L'origine de 'Cupani's Original' remonte à 1699. C'est le père Cupani, un moine franciscain de Sicile, qui a découvert cette variété en 1695 aux abords de son monastère. Quatre ans plus tard, celle-ci était enregistrée et porte son nom. Qu'une variété survive à plus de trois cents ans d'histoire relève de l'exploit. De plus, que celle-ci soit exactement conforme aux descriptions qu'on en faisait en 1700 tient du miracle.

C'est un pois de senteur au parfum exquis et très puissant, plus parfumé et à fleurs plus petites que bien des variétés modernes. La fleur est bicolore richement teintée de marron et de violet intense. Le feuillage vert teinté de gris se développe pour atteindre un mètre à deux mètres de hauteur. La floraison commence en juillet, mais c'est en août qu'elle est la plus belle.

JOUEURS DE TOURS

Outre 'Cupani's Original' de nombreux cultivars de pois de senteur, dont 'Nelly Viner', 'Busby' ou 'Countess Cadogan', sont intéressants pour les jardins. Il faut lire les descriptions avec attention lorsque l'on achète les pois de senteur grimpants, car certaines variétés modernes ne sont pas plus hautes que le genou. On les appelle «Knee High» en anglais.

PLANTS DE FRAÎCHEUR

Les pois de senteur poussent particulièrement bien lorsque les températures sont fraîches. C'est pourquoi on les sème très tôt au printemps, directement dans le jardin, lorsque le sol est dégelé, soit vers la mi-mai. On peut aussi les semer en avril à l'intérieur dans des godets individuels. Les semences sont recouvertes d'une à deux fois le diamètre de la graine. Elles germent mieux si elles ont été trempées, pendant les 24 heures précédant le semis, dans l'eau tiède. La germination prend entre 14 et 40 jours. Lorsque les jeunes plants ont environ 15 cm de hauteur, on les taille de moitié pour les forcer à se ramifier. Au jardin, on installe les pois de senteur au soleil, mais on peut aussi les implanter dans un endroit légèrement ombragé. C'est une bonne manière de les garder dans un environnement frais, mais cela diminue un peu l'abondance florale.

Les pois de senteur aiment un sol riche et drainé et des arrosages réguliers. Ils sont très gourmands. Une fertilisation riche en phosphore, une fois par dix jours est donc la bienvenue.

TOUT EN BEAUTÉ !

Les pois de senteur ne sont pas des plantes-écrans, mais bien de délicates plantes grimpantes à intégrer avec doigté. Elles habillent la base des tonnelles et remplissent agréablement les tuteurs décoratifs en s'y accrochant à l'aide de leurs vrilles. On peut jouer sur la note de «jardin de cottage» en les laissant s'exprimer librement dans les plates-bandes de plantes vivaces. On peut aussi jouer la note champêtre en les installant à la base des clôtures de perches de cèdre. À la fois classiques et modernes, les pois de senteur s'harmonisent avec plusieurs arbustes et se marient avec les gloires du matin ou d'autres plantes annuelles grimpantes.

TECHNIQUE À DÉCOUVRIR

N'hésitez pas à récolter les fleurs de vos plantes grimpantes pour en faire des bouquets. Les pois de senteur se prêtent bien à cette fin. Un bouquet de pois de senteur dans la maison et tout le monde tombe en amour! Ajoutez aussi des portions de tiges de plantes grimpantes dans un bouquet pour leur effet retombant.

Pois de senteur
'Nelly Viner'

Rosier grimpant
'Leverkusen'

ROSA HYBRIDA 'LEVERKUSEN'

J'aime cette plante...

… pour son étonnante rusticité et ses fleurs jaune clair, une couleur peu commune chez les rosiers, surtout chez ceux qui sont grimpants.

ICI, ON TRICHE UN PEU. Les rosiers grimpants ne sont pas vraiment grimpants. Ils ne disposent d'aucun organe capable de s'accrocher ou de s'enrouler. On les dit grimpants ou sarmenteux, car ils émettent de longues cannes, plus précisément appelées des sarments, qu'il est possible d'attacher à la verticale. Ces rosiers conviennent donc à une culture en hauteur, mais peuvent également être cultivés en arbustes ou en plantes couvre-sol.

Le rosier 'Leverkusen' produit tôt en été des grappes de fleurs doubles, jaune clair, avec un centre plus foncé. Les fleurs sont de forme irrégulière et produisent des fruits qu'on a intérêt à conserver, car ils sont décoratifs durant l'automne et l'hiver. C'est un rosier à floraison remontante, c'est-à-dire qu'il fleurit plus d'une fois durant l'été. En fait, la floraison ne cesse que lorsque la météo le lui ordonne. Les fleurs dégagent un doux parfum à la fois sucré et citronné. Rien de très puissant, mais une odeur fort agréable.

PLUS RUSTIQUE QU'ON LE CROIT

Créé en 1954 par l'Allemand Kordes, ce rosier fait partie de la classe des rosiers hybrides de *Rosa kordesii*. Son nom est tout simplement celui d'une ville de l'ouest de l'Allemagne. Les hybrides produits par la famille Kordes sont multiples et couvrent trois générations de père en fils. On y trouve des rosiers floribundas, des hybrides de thé à larges fleurs et une bonne sélection de rosiers rustiques, comme 'Leverkusen' et 'Frühlingsduft'.

Le rosier 'Leverkusen' est généralement considéré comme rustique en zone 5b sans protection hivernale. Toutefois, des spécimens de ce rosier ont été observés en zone 4a. On peut probablement le cultiver en zone 3, à la condition de coucher les branches au sol et de les recouvrir d'une toile géotextile pour l'hiver.

Le rosier 'Leverkusen' a une préférence pour les sols pauvres, frais et bien drainés, mais ne refusera pas de pousser dans un sol plus riche. Évidemment, il lui faut le plein soleil.

PEU SENSIBLE

Les sarments du rosier 'Leverkusen' peuvent atteindre jusqu'à 2,50 mètres de hauteur. Le feuillage, vert foncé et lustré, résiste assez bien aux attaques des maladies. Il arrive parfois qu'il soit sujet à la maladie des taches noires, mais cela est peu fréquent. Dans la possibilité où la maladie se développerait, on peut prévenir son retour l'année suivante en évitant d'arroser le feuillage en fin de journée ou en appliquant un traitement préventif hebdomadaire au bicarbonate de soude (45 ml de bicarbonate dans quatre litres d'eau).

Au printemps, avant la sortie des feuilles, on taille ce rosier de manière à conserver cinq à sept sarments vigoureux. On retire d'abord les extrémités gelées et les branches endommagées par les rigueurs de l'hiver. Lorsque nécessaire, on retire une ou deux vieilles cannes pour permettre à des branches plus jeunes de prendre la relève. Tout ce qui ne peut être ramené vers le treillis ou la tonnelle est taillé.

ÉCOLO-CONSEIL

Les rosiers grimpants ne peuvent s'enrouler ou s'entortiller sur les treillis. Il faut les fixer à l'aide d'attaches. Le lien idéal doit être souple sans risquer d'endommager les tiges, mais n'a pas besoin d'être neuf. Utilisez des vieux bas nylon, des bandes de coton provenant de t-shirts usagés ou même des bouts de tuyau d'arrosage percé. Récupérez!

Rosier grimpant
'John Davis'

ROSA HYBRIDA 'JOHN DAVIS'

J'aime cette plante...

... fidèle et incontournable, tout comme le rosier grimpant 'John Cabot'. Ce rosier est parfaitement rustique, peu attaqué par les prédateurs et florifère à souhait.

HOMOLOGUÉ EN 1986, le rosier 'John Davis' est issu du programme d'hybridation canadien et c'est donc un fier membre de la série Explorateur. On trouve dans cette série des rosiers de grande valeur pour les jardins québécois, comme 'Champlain', 'Henri Hudson' ou 'David Thompson'. Les rosiers de la série Explorateur sont réputés pour leur très bonne rusticité et, généralement, pour leur bonne résistance aux maladies. Le rosier 'John Davis' est rustique en zone 3b. Il ne subit que des dommages légers au bout des tiges. C'est un autre rosier hybride de *Rosa kordesii*.

DÉCIDER DE SON SORT

Laissé à lui-même, le rosier 'John Davis' forme plutôt un arbuste éparpillé à port rampant, produisant de longs sarments de deux mètres et plus. C'est en dirigeant ses longues branches à la verticale et en forçant la plante à pousser vers le haut, par la taille, que l'on arrive, sans trop de peine à en faire un rosier grimpant.

Le rosier 'John Davis' a une floraison généreuse et remontante, ce qui indique qu'il produit plusieurs fleuraisons au cours de la belle saison. Les boutons floraux rose foncé donnent naissance à des fleurs plus claires, d'un rose moyen, doubles, ayant jusqu'à quarante pétales. Elles libèrent un parfum épicé. Elles ont un peu la forme des fleurs du rosier rugueux ou des roses anciennes. Le feuillage vert est légèrement lustré.

TECHNIQUE À DÉCOUVRIR

Le rosier grimpant 'John Davis' se cultive facilement en palissade. Une plante palissée est une plante dont on dirige les tiges de manière précise, formant ainsi un motif régulier et décoratif. Pour cela, espacez les rosiers d'un mètre et demi. Dirigez les tiges contre un mur ou un réseau de fils de fer tendus de manière à former des losanges ou des arches qui se croisent successivement. Le palissage demande quelques années à mettre en place, mais qu'est-ce qu'on ne ferait pas pour un peu de folies horticoles?

CHOISIR SON EMPLACEMENT

Le rosier 'John Davis' est assez flexible quant à ses conditions de culture. Préférablement, le sol doit être moyennement riche ou pauvre, meuble, drainé et neutre. Par contre, le plein soleil est nécessaire pour l'obtention d'une floraison généreuse. Le rosier 'John Davis' est très résistant à la maladie du blanc, ou oïdium, et à la maladie des taches noires, mais il n'est pas à l'abri des pucerons, surtout s'il est cultivé en sol riche. On pourra les déloger avec un jet d'eau puissant ou en appliquant un savon insecticide.

FLEURIR SON ENTOURAGE

Les rosiers grimpants conviennent aux treillis, aux arches et aux tonnelles. On les cultive contre des murs ou sur des structures métalliques décoratives. Ils donnent de la hauteur aux roseraies et s'implantent bien parmi les vivaces des plates-bandes mixtes.

Rosiers grimpants et clématites font d'heureux mariages. Allez-y gaiement avec des hybrides de clématites à larges fleurs comme 'Piilu', 'Cardinal Wyszynski' ou 'Ernest Markham'. Plantez au pied de ce rosier des masses de géraniums vivaces 'Johnson's Blue' ou des vivaces à feuillage gris comme la sauge russe (*Perovskia atriplicifolia*), l'armoise 'Valerie Finnis' (*Artemisia ludoviciana* 'Valerie Finnis') ou l'épiaire laineux (*Stachys byzantina*).

Clématite 'Warszawska Nike'

Mes 50 réponses à vos questions

Que la vérité jaillisse!

MES RÉPONSES SUR

Comment
les acheter ? 132

Comment les
utiliser au jardin ? 140

Comment
les planter ? 153

Comment
les entretenir ? 164

Comment
les conserver et
les multiplier ? 177

BEAUCOUP DE MYTHES planent au-dessus de la tête des plantes grimpantes et, malgré la présence de celles-ci dans beaucoup de jardins, leurs besoins sont souvent mal connus des jardiniers. Certaines techniques de jardinage sont peu maîtrisées, et combien de sécateurs maladroits ont coupé, parfois charcuté, sans trop comprendre les principes de base motivant la taille.

Assez curieusement, peu de livres offrent une information pratique et détaillée sur les techniques de plantation, d'entretien et de multiplication des plantes grimpantes. Trop peu d'ouvrages développent autour de la simple formule «acheter des plants en santé». Que veut-on dire exactement? Aussi, certains mythes sont carrément ignorés de peur d'avancer une réponse erronée.

Les prétendus secrets de la réussite de la culture des plantes grimpantes ne se cachent pas dans une belle photographie. Dès le choix du positionnement des plantes grimpantes dans le jardin et de leur sélection en pépinière, l'avenir se joue. Seule une plante bien sélectionnée, bien placée, bien plantée et bien entretenue peut donner satisfaction.

Alors la voici, la vérité, en long, en large et en détail. Pour que ces photos de rêves deviennent réalité, il faut connaître les secrets de culture, et surtout les bonnes pratiques horticoles. Rien de sorcier, ni de bien compliqué. Il suffit de connaître et de comprendre.

Les plantes grimpantes sont tout aussi faciles à cultiver que les autres végétaux.

Comment les acheter ?

*E*st-il préférable d'acheter des jeunes plants de plantes grimpantes plutôt que des plants plus âgés ?

UN VIEIL ADAGE souligne en effet que les plantes plus jeunes ont plus de facilité à s'adapter après la plantation que celles qui sont plus vieilles. Souvent, la jeune plante aura rattrapé la plante plus âgée en quelques années seulement. Cela est vrai pour certains arbustes et conifères qui souffrent de la transplantation, même si ces plantes sont cultivées en contenant. TOUTEFOIS, dans le cas des plantes grimpantes rustiques, il y a peu de différence. La majorité de celles-ci sont cultivées en contenant et souffrent donc peu de la transplantation, car, dans ce cas, le stress au moment de la plantation est considérablement réduit. Elles ont la même vigueur. Qu'elles soient jeunes ou plus développées change peu de chose en bout de ligne. En fait, un plant plus mature permet de gagner quelques années et encourage la floraison à se manifester plus tôt. CERTAINES PLANTES GRIMPANTES annuelles souffrent de la transplantation. C'est le cas des gloires du matin, des pois de senteur et des chapeaux chinois. L'essentiel pour une bonne reprise de ces plantes n'est pas leur âge, mais leur degré d'enracinement dans le contenant.

Plant jeune ou mature, la réussite tient davantage dans une bonne plantation.

Par exemple, une gloire du matin cultivée dans un gros pot aura de la difficulté à développer un réseau important de racines. En dépotant la plante, le substrat risque de s'émietter, ce qui peut endommager les radicelles et les racines. On peut donc affirmer que les plantes produites en plus petit contenant subiront moins de stress, car elles seront mieux enracinées et les racines tiendront le terreau en place. L'âge a donc peu à voir avec la réussite. CELA DIT, il faut admettre qu'un plant plus jeune se manipule mieux qu'une plante grimpante très développée. Plus les tiges sont longues, plus on risque de s'y emmêler et de les briser lors de la manipulation. ENFIN, le facteur prix entre en ligne de compte. Les jeunes plants sont très souvent moins dispendieux, mais demandent plus de patience de la part du jardinier. Il faut bien se développer pour atteindre la maturité! Un peu plus chères, les plantes grimpantes plus matures ont effectivement une longueur d'avance. Reste à voir si la différence de prix en vaut le coup.

*C*omment choisir les meilleures plantes grimpantes pour le jardin?

TRÈS PEU DE PLANTES réussissent à pousser avec succès dans n'importe quelles conditions de culture. Avant de jeter son dévolu sur une plante grimpante, il faut savoir à l'avance où on entend la cultiver. En sélectionnant les végétaux en fonction des conditions existantes, on choisit nécessairement les meilleures plantes pour cette situation. 🗨 **IL FAUT D'ABORD** étudier la nature du sol. Est-ce un sol très sablonneux, un sol limoneux, que l'on qualifie souvent de terre à jardin ou de terre brune, ou un sol argileux? Le sol est-il riche ou pauvre? Ce critère s'évalue, entre autres, par la présence de matières organiques. Le compost ou le fumier sont les deux principales sources apportées par les jardiniers. Enfin, quel est le niveau de pH du sol? En règle générale, les sols sablonneux sont plutôt pauvres et plutôt acides. Les sols argileux sont généralement plus riches et ont un pH proche de la neutralité. 🗨 **POUR UN MÊME JARDIN,** le sol n'est pas nécessairement le même partout. Il peut y avoir des endroits plus pierreux ou des bandes de sol argileux. Il faut aussi retenir que, même s'il est possible de changer la nature d'un sol, il est toujours plus facile et plus sage de travailler avec les conditions existantes. Si le sol est acide, considérez cela comme un atout, et non une contrainte. 🗨 **L'HUMIDITÉ DU SOL** est aussi un élément à observer avant de choisir une plante grimpante. Certaines exigent un sol légèrement humide, d'autres tolèrent bien les sols très secs. Cela influence leur croissance. 🗨 **L'ENSOLEILLEMENT** est aussi un facteur qui doit être pris en ligne de compte. Les plantes à fleurs nécessitent toutes beaucoup de soleil pour s'épanouir. Certaines peuvent fleurir dans des endroits légèrement ombragés, qui reçoivent plus de quatre heures de soleil par jour. À l'ombre, mieux vaut considérer les plantes à feuillage décoratif comme celles présentées dans le chapitre «Gratte-ciel de l'ombre». 🗨 **EN FAISANT D'ABORD** la liste des végétaux susceptibles de pousser à l'endroit prévu, vous serez assuré de choisir la meilleure plante grimpante pour cet endroit.

PLANTES ACCEPTANT DE POUSSER DANS LES SOLS HUMIDES

Aristoloche
Apios d'Amérique
Bourreau des arbres
Concombre sauvage
Ménisperme du Canada

Le concombre sauvage aime bien les sols qui demeurent humides presque toute l'année.

PLANTES ACCEPTANT DE POUSSER DANS LES SOLS ARGILEUX

Bourreau des arbres
Clématite à fleurs
    jaunes
Lierre anglais
Passiflore rustique
Vigne à raisin

PLANTES ACCEPTANT DE POUSSER DANS LES SOLS SECS

Aristoloche
Clématite akébioïde
Dolique 'Ruby Moon'
Gloire du matin
Jasmin trompette

PLANTES ACCEPTANT DE POUSSER DANS LES SOLS PAUVRES

Ampélopsis à feuilles d'aconit	Jasmin trompette
	Kiwi ornemental
Clématite à fleurs jaunes	Petits pois
	Rosier grimpant 'John Davis'
Dolique	
Gloire du matin	Vigne à raisin
Ipomée rouge	

Les gloires du matin demandent peu du sol. Elles se développent aussi dans un sol pauvre.

*E*st-il préférable d'acheter des annuelles grimpantes en semences ou d'utiliser des plants ?

Les semis procurent beaucoup de satisfaction et permettent de mettre la main sur des variétés peu présentes sur le marché.

Toutes belles, toutes fournies, les plantes grimpantes annuelles produites en contenant génèrent un effet instantané au jardin.

L'UNE OU L'AUTRE des solutions est intéressante et tout dépend du type de jardinier que vous êtes. Les plantes grimpantes produites en contenant ont l'avantage d'avoir une bonne longueur d'avance lorsque le printemps arrive. Cultivés dans un contenant de plastique, les végétaux sont fertilisés avec générosité, pour produire rapidement des plants attirants au moment de la commercialisation. Ceux-ci sont aussi pincés plusieurs fois, afin de produire des plants ramifiés et donc très fournis. Le pinçage permet aussi de ralentir leur croissance en hauteur, car l'un des plus gros casse-tête des producteurs de plantes grimpantes est le tuteurage. **IL FAUT RETENIR** que les plantes grimpantes annuelles sont produites en serres et qu'elles sont donc peu acclimatées aux conditions très ensoleillées du jardin extérieur. Vous devez donc impérativement pratiquer une période d'acclimatation avant de planter. Maintenant que tout cela est dit, il faut reconnaître que ces plantes déjà poussées créent un bel effet immédiat dans le jardin. Vous les arrosez, vous les fertilisez et elles continuent de pousser et de fleurir! **LES PLANTS PRO-DUITS** en pot sont aussi très intéressants pour ceux qui ne maîtrisent pas l'art de faire des semis à l'intérieur ou qui n'ont tout simplement pas le temps. Pour profiter pleinement de la floraison des plantes grimpantes annuelles au jardin, il faut acheter des plantes qui sont sur le point de fleurir. Évitez celles qui sont pleinement épanouies. Cela est particulièrement vrai pour les pois de senteur qui, parfois, cessent de fleurir lorsque les plants sont plus âgés. À l'opposé, les gloires du matin peuvent émettre des fleurs sans arrêt jusqu'aux gelées. À ces nombreux avantages, il y a un prix, évidemment. Une plante grimpante annuelle en pot peut coûter entre 10 et 20 $ **LE PREMIER** grand bénéfice à cultiver vos plantes par semis, ce sont les économies que vous pouvez réaliser. Un sachet de pois de senteur peut coûter 2,50 $ et contenir jusqu'à 50 graines. Mieux, vous pouvez assez facilement dénicher des semences de haricot grimpant 'Scarlet Runner' ou de gloires du matin dans des échanges et les obtenir gratuitement. Encore mieux, la plupart des plantes grimpantes annuelles produisent des semences viables et fidèles à la variété. Il vous est donc très facile de récolter et préserver des graines de plantes grimpantes. L'achat de celles-ci vous permet aussi d'avoir accès à une plus grande variété de cultivars et d'espèces. En effet, le marché des plantes grimpantes an-nuelles produites en pot compte, tout au plus, une trentaine d'espèces et variétés, alors qu'il existe plus de 40 cultivars de gloires du matin et une dou-zaine de thunbergies, soit près de 55 possibilités pour ces deux seuls genres. Pour obtenir ces trésors, il faut semer. **ENFIN,** le semis procure beaucoup de satisfaction. Réussir ses semis est un petit défi en soi. Quelle excitation de voir les graines germer ou de capturer sur pellicule la première fleur.

*Q*uelles sont les distances de plantation recommandées entre les plantes grimpantes?

TOUT DÉPEND évidemment des plantes choisies. Certaines grimpantes annuelles peuvent être plantées très près les unes des autres, comme les petits pois qu'on peut aligner à deux centimètres les uns des autres. Certaines plantes grimpantes rustiques, elles, occupent beaucoup d'espace, parfois plus de six mètres en largeur. Chose certaine, toutes les plantes grimpantes conviennent à la culture contre une clôture. **DANS LE CAS DES CLÔTURES,** les grillages métalliques permettent à toutes les plantes de s'agripper, qu'elles se développent par tiges volubles, par vrilles ou autres. Il vous est aussi possible de cultiver une seule plante sur toute la longueur de la clôture ou de mélanger les espèces. **POUR CONNAÎTRE** la quantité de plantes grimpantes à installer, il suffit de diviser la longueur totale, en mètres, par la distance entre les plants, telle que recommandée dans le présent tableau. Rappelez-vous que ces distances sont à titre indicatif et ne sont en rien des règles immuables. Vous pouvez planter légèrement plus rapproché pour un effet plus dense ou une couverture plus rapide, ou espacer les plants pour un effet plus transparent.

Semez les pois aussi proches que deux centimètres les uns des autres. Cela augmente le rendement sans nuire à la croissance des plants.

DISTANCE ENTRE LES PLANTS

5 À 50 CM	60 À 140 CM	150 À 300 CM	310 CM ET PLUS
Chapeau chinois	Apios americana	Aristoloche	Akébie à cinq folioles
Concombre sauvage	Aristoloche géante	Chèvrefeuille grimpant	Ampélopsis à feuilles
Dolique 'Ruby Moon'	Asarine 'Joan Loraine'	'Serotina'	d'aconit
Gloire du matin	Bignone du Chili	Clématite à fleurs jaunes	Ampélopsis élégant
'President Tyler'	Chèvrefeuille grimpant	'Radar Love'	Bourreau des arbres
Haricot asperge	'Harlequin'	Gourde	Kiwi ornemental
Haricot d'Espagne	Clématite akébioïde	Hydrangée grimpante	'Arctic Beauty'
'Painted Lady'	Clématite 'Betty Corning'	'Mirranda'	Vigne vierge
Ipomée rouge	Clématite 'Blue Bird'	Igname	'Star Showers'
Petits pois 'Sugar Snap'	Clématite	Jasmin trompette	
Pois de cœur	'Warszawska Nike'	Kiwi rustique 'Issai'	
Pois de senteur	Cobée mauve et blanche	Ménisperme du Canada	
'Cupani's Original'	Concombre amer	Passiflore rustique	
	Dalechampia	Rosier grimpant	
	Épinard de Malabar	'John Davis'	
	Humulus lupulus	Rosier grimpant	
	Lierre anglais 'Thorndale'	'Leverkusen'	
	Manettia	Vigne à raisin 'Canadice'	
	Périploca	Vigne à raisin	
	Séneçon orange	'Prairie Star'	
	Thunbergie 'African Sunset'		
	Vanille		

*Q*uels sont les différents modes de croissance des plantes grimpantes?

LES PLANTES GRIMPANTES s'accrochent aux treillis de différentes manières. Connaître leurs modes d'accrochage vous permet de choisir le support qui leur convient le mieux. Certaines plantes sont incapables de grimper sur un mur plat. D'autres y arrivent. On sépare habituellement les plantes grimpantes en quatre grandes catégories. **DANS LA GRANDE MAJORITÉ** des cas, ces plantes grimpent à l'aide de tiges volubiles. Il s'agit de tiges qui sont capables de s'enrouler autour de tuteurs ou de poteaux tout en se développant. Il est encore difficile d'expliquer comment les plantes font pour s'entortiller, mais on sait que certaines d'entre elles s'enroulent toujours dans le sens horaire (manettia) et d'autres dans le sens antihoraire (thunbergie, gloire du matin, épinard de Malabar). Charles Darwin en personne a lui-même calculé le nombre d'heures requises pour que la plante opère une révolution complète: deux heures pour la gloire du matin et le houblon, neuf heures pour l'aristoloche géante. Les tiges volubiles ont souvent une limite quant au diamètre qu'elles peuvent envelopper. **EN SECONDE POSITION** par leur nombre, viennent les plantes à pétioles enroulants. C'est ici le pétiole de la feuille qui se love autour d'un objet avec lequel il entre en contact. Les clématites se développent ainsi, tout comme les chapeaux chinois. Dans ce cas, le support doit être de petit diamètre pour permettre aux feuilles d'agripper celui-ci. Tout ce qui est treillis, filet, tuteur de bambou, ficelle et fil de fer doit recouvrir les murs pour permettre la croissance de ces plantes. Une fois accrochées, elles le restent puisque le pétiole ou la partie enroulée s'épaissit afin de solidifier l'attache. **MOINS NOMBREUSES,** il y a les plantes qui utilisent des vrilles pour se retenir. C'est le cas des pois et des gourdes. Les vrilles sont des feuilles qui se sont modifiées et spécialisées. Parfois même, comme pour la cobée, ce n'est que l'extrémité des feuilles qui sont transformées en vrilles. Elles réagissent au contact d'un objet, peuvent se vriller autour de tiges de petits diamètres, ou s'accrocher aux plantes environnantes. **EN DERNIÈRE POSITION** arrivent les plantes qui utilisent des crampons ou des racines aériennes pour s'accrocher aux parois. La vigne vierge et l'hydrangée grimpante sont du lot. Ce sont les rares plantes grimpantes à

A La tige volubile du houblon s'enroule autour de cette tige métallique. **B** Le pétiole enroulant des clématites peut parfois s'entortiller autour des supports les plus inattendus. **C** Les vrilles de la cobée se terminent par de petits crochets qui s'accrochent fermement dans les fissures de ce poteau de bois. Elles réagissent en quelques heures après avoir été en contact avec un objet. **D** De petites racines aériennes apparaissent le long de la tige de l'hydrangée grimpante et s'accrochent du mieux qu'elles peuvent à un mur de pierres.

pouvoir monter sans l'aide d'un treillis ou de filets. Elles se collent aux murs et s'y agrippent d'elles-mêmes. Évidemment, les surfaces lisses sont peu propices à leur culture. Elles préfèrent les surfaces rugueuses comme les murs de briques ou de pierres et peuvent même grimper le long d'un tronc d'arbre.

*E*xiste-t-il des plantes grimpantes envahissantes dont il faut se méfier?

Le niveau d'«envahissement» d'une plante dépend de l'effet recherché.

LE TERME ENVAHISSANT est un peu péjoratif et prête à interprétations. Dans certains cas, le fait d'être envahissant peut être désirable, par exemple, lorsqu'il faut couvrir de larges surfaces avec peu de moyens. Aussi faut-il se demander ce qu'est une plante envahissante. **POUR CERTAINS,** c'est une plante qui prend un peu trop ses aises et qui occupe beaucoup d'espace dans le jardin. Pour d'autres, c'est une plante qui se ressème d'elle-même un peu partout. Ce peut être aussi une plante difficile à éradiquer. Lorsque la plante tient un ou tous ces qualificatifs, on la considère parfois envahissante. Tout dépend du point de vue. Il y a des plantes grimpantes pires que d'autres, bien sûr, mais, par chance, aucune d'entre elles ne s'avère être une menace au Québec. Il n'y a pas d'équivalent grimpant à la renouée japonaise ou l'herbe aux goutteux. Cela, c'est un peu grâce à notre climat. Beaucoup de lianes vigoureuses, des plantes introduites ou échappées de culture des pays chauds se révèlent problématiques dans certains États du sud des États-Unis par exemple. Toutefois, sous nos conditions et grâce à nos hivers, qui, même s'ils sont moins rigoureux qu'avant, le sont suffisamment, ces terribles envahisseurs se comportent comme des enfants sages. **PARMI LES MOINS SAGES** des enfants sages, on peut souligner la grande vigueur de la vigne vierge, du lierre de Boston ou du bourreau des arbres. Ces trois plantes peuvent dépasser 10 mètres en hauteur et en largeur. Cela peut être considéré envahissant dans un petit jardin de ville! Par contre, elles font des merveilles sur les murs des édifices à plusieurs étages ou suspendues à de grandes pergolas. **D'AUTRES PLANTES GRIMPANTES** se ressèment abondamment d'elles-mêmes d'année en année, mais qui se plaint de la présence inopportune des gloires du matin, des pois de cœur ou des concombres sauvages? Si une plante grimpante germe au mauvais endroit, un simple coup de sarcloir lui coupe l'herbe sous les pieds. Encore là, rien de bien envahissant.

TOUTEFOIS, il en existe une qui s'avère difficile à éradiquer, l'igname. Celle-ci persiste en raison de ses tubercules allongés et profondément enfouis dans le sol. En oublier un petit morceau, c'est lui permettre de reprendre son domicile. Mieux vaut réserver à cette plante un espace bien à elle qu'elle occupera pour le reste de ses jours. Pour en venir à bout, il faudra déterrer avec soin tous les tubercules et recouvrir le sol d'un plastique noir pour une année ou deux, afin d'épuiser les portions de tubercules restées dans le sol.

*Q*uels sont les éléments que l'on doit observer quand on souhaite acheter des plantes grimpantes ?

C'EST EN FAIT TRÈS SIMPLE et cela ressemble beaucoup aux critères d'achats des plantes en général. Il faut d'abord regarder l'aspect général de la plante. Celui-ci doit correspondre aux caractéristiques de l'espèce ou du cultivar. Certaines plantes ont un feuillage coloré, jaune ou pourpre, et il faut considérer cette coloration du feuillage pour juger de la qualité de la plante. Des malformations du feuillage peuvent aussi indiquer quelques problèmes. Toutefois, il faut se rappeler que ce ne sont pas toutes les plantes qui ont une forme de feuille «standard». Certaines sont découpées, comme l'ampélopsis à feuilles d'aconit, ou bordée de jaune, comme l'hydrangée grimpante 'Mirrada'. Il faut en tenir compte au moment d'acquérir la plante.

VOUS DEVREZ AUSSI vérifier si la plante a développé des boutons floraux. Même si cela ne doit pas être un critère d'achat, la présence de boutons floraux est évidemment un signe de santé et dans le cas des plantes grimpantes rustiques, de maturité. Pour les plantes grimpantes achetées pour leurs fleurs, il est préférable de sélectionner les plants où une ou deux fleurs sont écloses. Vous pouvez ainsi vous assurer qu'il s'agit du bon cultivar. **OBSERVEZ** ensuite les tiges. Il arrive parfois que celles-ci soient écrasées au cours d'une mauvaise manutention. Dans de telles conditions, vous risquez de perdre une partie de la croissance… et donc de débourser pour rien. **VOTRE MEILLEURE GARANTIE** est la présence de jeunes pousses, en train de se développer, un très bon signe de santé. Cela vous assure que la plante continuera de se développer une fois dans votre jardin. **DE PLUS,** les insectes nuisibles et les maladies sont aussi à surveiller de près. Une plante atteinte de parasites est plus faible et peut avoir plus de difficulté à s'établir dans le jardin. Sans compter qu'il n'est pas souhaitable d'y introduire des indésirables dès le moment de l'achat. Parmi les maladies communes, on recherche la présence du blanc, aussi appelé oïdium, une maladie qui produit un feutre blanc à la surface des feuilles. Sur les rosiers, on recherche les cercles foncés de la maladie des taches noires, une autre maladie fongique qui peut provoquer le jaunissement et la chute complète des feuilles. Côté insectes, ce sont les pucerons, de petits insectes piqueurs qui se tiennent en colonies sur les jeunes tiges, et les cochenilles qu'il faut surveiller. Il y a plusieurs sortes de cochenilles et elles ressemblent à des petites huîtres, des petites bulles brunes ou des petites ouates. Elles sont présentes sur les tiges et dans les replis à l'aisselle des feuilles. **FINALEMENT,** mais c'est le moins évident, il est important de vérifier l'enracinement. Une plante bien enracinée dans le pot de production s'acclimate plus rapidement aux nouvelles conditions de votre jardin. Il est permis de dépoter rapidement une

Il est facile de choisir entre un tel plant de clématite…

… et celui-ci!

Le développement de nouvelles feuilles est un indice de bonne santé. Remarquez la teinte pourpre des nouvelles feuilles. C'est un phénomène normal pour certaines variétés et pas un signe de carence.

La tache noire est une maladie spécifique aux rosiers. Suite à l'apparition des taches, le feuillage jaunit et tombe.

Le blanc ou oïdium est une maladie qui forme une poudre blanchâtre à la surface des feuilles. Elle affaiblit la plante en plus d'être peu jolie.

plante pour vérifier l'état des racines. Cependant, il faut savoir que ce ne sont pas toutes les plantes qui sont enracinées à la perfection. Si vous sentez que le substrat risque de s'effriter, évitez de manipuler les plants davantage. Petit rappel! Dépotez une plante en la renversant à l'envers, et pas en tirant sur les tiges ou les troncs. Si vous n'êtes pas certain de réussir, faites-vous aider par un conseiller. **PLUS SPÉCIFIQUEMENT,** pour les plantes grimpantes, observez chacune des tiges afin de sélectionner des plants qui portent des tiges prometteuses, dans le sens de l'allongement. Vous pouvez facilement reconnaître les tiges qui s'allongent et se développent comparées à d'autres, taillées ou pincées, qui doivent émettre de nouvelles pousses pour se mettre à pousser à la verticale. **CE QUI IMPORTE,** c'est que la plante n'ait pas l'air malade ou chétive. En la regardant, vous devez avoir l'impression d'être devant une plante en santé, débordante de vie.

Comment les utiliser au jardin?

Le bourreau des arbres mérite-t-il sa réputation? Peut-il vraiment étouffer les plantes auxquelles il s'agrippe?

LE BOURREAU DES ARBRES porte un nom qui laisse facilement l'imaginaire imaginer le pire. Comme dans tout bon mythe, il y a une part de vérité.

Avec ses tiges volubiles et sa croissance vigoureuse, le bourreau des arbres étreint tout ce qui est à sa portée, une arche de fer forgé aussi bien qu'un arbre.

CETTE PLANTE GRIMPANTE ligneuse est présente à l'état naturel dans à peu près tous les États américains du centre et de l'est du pays. Son aire de distribution atteint même le Canada du Manitoba au Nouveau-Brunswick. Dans son habitat naturel, le bourreau des arbres se développe dans les bosquets, à l'orée des boisés et au bord des rivières. Il s'enroule et s'entortille autour des plantes de son entourage, incluant des arbres et des arbustes. Il est effectivement capable d'étreindre si fort qu'il bloque la circulation de la sève et c'est la mort à petit feu pour sa pauvre victime. Toutefois, il se love seulement à l'aide de ses tiges volubiles. Ce n'est pas une plante parasite. Elle ne se nourrit pas de son hôte. Celui-ci n'est qu'un tuteur pour atteindre la lumière, à la mauvaise place au mauvais moment. À L'HEURE ACTUELLE, le bourreau des arbres, *Celastrus scandens*, est en déclin dans son milieu naturel, car il est supplanté par une espèce plus vigoureuse, introduite de Chine et du Japon, *Celastrus orbiculatus*. C'est plutôt à cette espèce que le sobriquet de bourreau va le mieux, car elle pousse avec une vigueur hors du commun. Elle recouvre la végétation, telle une couverture, bloquant ainsi le passage de la lumière. Ses tiges solidement enroulées peuvent accidentellement déraciner des plantes herbacées et des petits arbustes. Souvent, l'étreinte est si forte, que la plante se tord ou succombe. Avec ses semis prolifiques et sa capacité à produire de nouvelles tiges à partir du sol, elle présente une menace réelle pour les habitats qu'elle occupe, et même pour le bourreau des arbres indigène en Amérique du Nord. AU JARDIN, il y a peu à craindre. Il faudra des années au bourreau des arbres pour développer des tiges capables d'étouffer une plante. Une simple surveillance de la part du jardinier permet de prévenir le pire et de le cultiver aux côtés d'autres végétaux. Vu sa vigueur, on peut tailler à tout moment les branches un peu trop embrassantes.

*P*eut-on faire grimper des plantes grimpantes dans des arbustes?

ABSOLUMENT! La majorité des plantes grimpantes se mélangent bien avec les arbustes et peuvent être cultivées au pied de ceux-ci. Dans la nature, elles n'ont pas de treillis pour grimper. Les plantes qui les entourent leur servent donc souvent de supports. Au jardin, ce qui est différent, c'est que, par un habile mariage, vous pouvez créer des tableaux originaux et très séducteurs. **L'ASSOCIATION** des plantes grimpantes et des arbustes permet de prolonger la période de floraison pour un même espace. Par exemple, un lilas peut recevoir un chèvrefeuille grimpant. Le premier fleurit très tôt en été, puis le second prend la relève jusqu'à l'automne. **IL Y A AUSSI** des plantes, avec ou sans fleurs, qui s'associent bien ensemble. Le concombre sauvage, avec son habitude de se ressemer de lui-même, trouvera bien des avantages à germer au pied d'un arbuste. Telle une dentelle, il se déposera sur l'arbuste avec la plus grande élégance. **VOUS POUVEZ** combiner des plantes grimpantes annuelles à des arbustes comme le seringat (*Philadelphus* sp.) ou le cotonéaster (*Cotoneaster* sp.). Elles sont d'ailleurs de très bonnes compagnes des arbustes en général. Vous pouvez attirer l'attention sur un arbuste à feuilles pourpres, comme les cultivars d'arbre

A Dans cette association, alors que le rosier finit sa floraison, la clématite commence la sienne. **B** Clématite 'Polish Spirit' avec potentille 'Pink Beauty'. **C** Les pois de senteur peuvent grimper dans à peu près tous les arbustes pour agrémenter le feuillage de ceux-ci d'une floraison hautement parfumée. Ici, le pois de senteur 'Annie B. Gilroy' en compagnie d'un arbre à perruque pourpre.

ROSES ET CLÉMATITES

MARIAGE MONOCHROME
▸▸ Rosier 'Hansa-Park' et clématite 'Comtesse de Bouchaud'
▸▸ Rosier 'Purple Pavement' et clématite 'Allanah' ou 'Kardynal Wyszynski'

HARMONIE
▸▸ Rosier 'Martin Frobisher' et clématite 'Pink Champagne'
▸▸ Rosier 'Hansa' et clématite 'Piilu'
▸▸ Rosier 'J.P. Connell' et clématite 'Blue Angel'

CONTRASTE
▸▸ Rosier 'Alexander MacKenzie' et clématite 'Jackmanii'
▸▸ Rosier 'Blanc Double de Coubert' et clématite 'Madame Julia Correvon'
▸▸ Rosier 'Robusta' et clématite 'Huldine'
▸▸ Rosier 'Grootendorst Pink' et clématite 'Niobe'

à perruque (*Cotinus* sp.), ou de physocarpe (*Physocarpus* sp.), en y faisant pousser des petites grimpantes à feuillage vert, comme les asarines (*Asarina* sp.). Pensez aussi à apposer les fleurs pourpre foncé des chapeaux chinois à des feuillages pourpres. 🗨 **IL Y A AUSSI** les floraisons qui se complètent. Une des plus belles associations est celle des clématites à larges fleurs et des rosiers. Avec des périodes de floraison assez similaires, il vous est facile de combiner ces deux plantes. Vous créerez des mariages monochromes, en alliant les fleurs d'un cultivar de rosier avec celles d'une clématite ayant la même couleur. Vous pouvez jouer sur l'harmonie avec des couleurs de teintes semblables, ou miser sur le contraste, en associant le jaune et le violet ou le rouge et le blanc. 🗨 **AU PRINTEMPS,** la floraison de la clématite 'Blue Bird' et des autres clématites à floraisons hâtives coïncide avec la floraison des spirées à fleurs blanches, comme la spirée de Vanhoutte ou la spirée arguta. 🗨 **CERTAINES PLANTES** grimpantes sont trop vigoureuses pour être associées aux arbustes. Les plantes à grand déploiement, notamment la vigne vierge, le kiwi ornemental et le bourreau des arbres, recouvriraient complètement l'arbuste en question, ce qui nuirait à sa croissance sans créer une association intéressante. C'est donc une vaine tentative d'associer de telles plantes grimpantes avec les arbustes.

Comment obtenir des effets originaux avec des plantes grimpantes?

LA SEULE LIMITE à l'utilisation des plantes grimpantes est l'imagination. Même si les murs et les clôtures sont joliment agrémentés par la présence de ce type de plantes, il est possible de les cultiver en d'autres endroits et sur d'autres structures que les traditionnels treillis de bois. 🗨 **TROP SOUVENT,** les plantes grimpantes suivent la limite de propriété. Pourquoi ne pas les planter en plein milieu du terrain? Un panneau de treillis garni de plantes grimpantes, installé avec intelligence, peut dissimuler certaines parties du jardin. Par exemple, au lieu d'avoir un sentier rectiligne qui mène de l'entrée du jardin à la terrasse, placez, à mi-chemin, un treillis qu'il faudra contourner pour arriver à destination. En plus de créer l'intrigue, cela apporte de l'intimité. 🗨 **UNE TONNELLE** remplie de plantes grimpantes ne doit pas forcément marquer l'entrée du jardin. Elle peut être placée à l'approche d'une section du jardin, ou en plein centre d'un jardin symétrique. 🗨 **DANS UN GRAND JARDIN** potager classique, des obélisques dressés au centre des carrés peuvent surplomber les légumes et constituer ainsi des points d'intérêt. Les plantes grimpantes peuvent aussi couvrir le sol aux abords d'un jardin d'eau, en dissimulant l'arrière d'une cascade par exemple. Elles peuvent être laissées à elles-mêmes, plantées au sommet d'une terrasse sur un toit, retombant ainsi vers le sol, tel un rideau de verdure. Bref, littéralement tous

Une couche de teinture d'un coloris unique, et l'effet est là.

les endroits du jardin peuvent accueillir les plantes grimpantes. Elles brisent la monotonie, donnent de la hauteur et peuvent créer un effet de surprise.

🗨 **EN PLUS** de sélectionner un emplacement original pour les plantes grimpantes dans le jardin, on peut aussi modifier leur support de croissance. Si vous trouvez vos treillis de bois un peu trop classiques, ajoutez-y des fioritures ou des frises. Clouer des plinthes décoratives et des quarts-de-rond sur les poteaux et le contour (les mêmes que l'on pose dans les maisons) vous permet de modifier l'allure de vos treillis en leur donnant une touche d'originalité. Pourquoi pas les teindre? Oubliez le vert et le beige, allez-y plutôt pour le bleu royal, le jaune serin ou l'orange. De nos jours, la palette des teintures extérieures est presque aussi vaste que celle des peintures intérieures. Toutes les teintes de rouge brique ou d'ocre contrastent magnifiquement avec le vert feuillage de la plupart des plantes grimpantes.

🗨 **VOUS POUVEZ** aussi aller plus loin encore en cultivant vos plantes grimpantes sur des objets récupérés. Faites-les grimper sur des treillis confectionnés avec des grilles de fourneau, des tipis réunissant des tuyaux de cuivre ou en procédant à un judicieux assemblage de ressorts et de fil de fer.

🗨 **MÊME CHOSE** pour les contenants décoratifs! Vos plantes grimpantes peuvent prendre vie dans de vieilles poubelles d'aluminium, des caisses en bois ou des seaux de plastique. Une simple ficelle suspendue permet aux grimpantes d'aller vers le haut. Aussi les plantes grimpantes peuvent se développer dans les jardinières suspendues, seules ou avec d'autres plantes annuelles. 🗨 **LES ARTISTES** peuvent aussi laisser libre cours à leur créativité dans la fabrication de sculpture en treillis métallique (broche à poule). La nature peut aussi fournir les matériaux pour des treillis, des tonnelles ou des tipis. Songez aux branches, aux troncs ou aux phragmites des fossés.

🗨 **MÊME SANS TUTEURS,** sans attaches, sans filets, les plantes grimpantes peuvent grimper, en utilisant les autres végétaux du jardin. Les arbustes, bien sûr, mais aussi les arbres et, dans le potager, le maïs, autour duquel peut s'enrouler le haricot grimpant.

Pas de tuteur? Certainement! Comme cette hydrangée grimpante qui s'accroche à même l'écorce de ce majestueux orme d'Amérique.

Quelques tiges de phragmite récoltées dans un fossé sont réunies pour former un tipi sur lequel se développera cette asarine fraîchement plantée.

Ce tipi complexe, fait en osier, a trouvé sa place au milieu d'un carré dans un potager classique.

*Q*uelles plantes grimpantes tolèrent une exposition à l'ombre dense?

TROP SOUVENT, l'ombre est considérée comme une contrainte. Pourtant, c'est en réalité un merveilleux atout dans un jardin. Que recherche-t-on en plein mois d'août lorsqu'il fait plus de 30 °C à l'extérieur? L'ombre. Où fait-il bon s'installer pour prendre un repas entre amis, à l'abri des rayons du

soleil? À l'ombre. Les jardins de sous-bois et les collections de hostas et de fougères nécessitent évidemment de l'ombre. De beaux, de très beaux jardins peuvent être créés à l'ombre.

🗨 **L'OMBRE N'A PAS** toujours la même intensité et n'est pas causée par les mêmes sources. Il y a l'ombre sous les arbres, qui peut être plus ou moins dense, selon les essences. L'ombre sous un févier inerme (*Gleditsia* sp.) ou sous un bouleau (*Betula* sp.) est plus légère, plus tamisée, que l'ombre sous un érable de Norvège (*Acer platanoides*) ou un tilleul (*Tilia* sp.). Il y a aussi l'ombre occasionnée par les bâtiments, notamment la maison et la cabane de jardin. Souvent, les jardins de ville, encastrés entre des bâtiments ou des garages, ont des sections où le soleil a peine à se rendre.

Cette vigne vierge ne reçoit que le soleil du matin. Le reste de la journée, elle est à l'ombre.

On considère comme légèrement ombragé un espace qui reçoit de 4 à 6 heures de soleil par jour ou dont l'ombre produite par un arbre à feuillage léger dure plus de 6 heures. Il y a ombre dense lorsque le site reçoit moins de 4 heures de soleil direct par jour. 🗨 **BIEN DES PLANTES** grimpantes peuvent pousser dans un espace presque sans lumière, à l'ombre dense. Évidemment, toutes les plantes du chapitre «Gratte-ciel de l'ombre», c'est-à-dire l'akébie à cinq folioles, l'aristoloche et le lierre anglais 'Thorndale', conviennent parfaitement à ces espaces à l'ombre. Il faut ajouter à cela l'ampélopsis à feuilles d'aconit, l'ampélopsis élégant, le kiwi ornemental, la vanille et la vigne vierge 'Star Showers'. 🗨 **D'AUTRES PLANTES** grimpantes, plus adaptées pour le soleil, peuvent pousser à l'ombre dense, avec certaines conséquences. C'est le cas du houblon, du dolique, du ménisperme du Canada et de l'hydrangée grimpante. D'abord, le feuillage risque d'être moins dense et les feuilles plus espacées sur les tiges, manque de soleil oblige. Toutefois, cette situation peut s'avérer très charmeuse, en apportant de la délicatesse, voire du romantisme. Il y a évidemment la floraison qui en souffre, car avec moins de soleil, il y a moins de fleurs, cela va de soi. 🗨 **LE SOL EST** aussi un élément à considérer. Si l'ombre est créée par des bâtiments, le sol risque d'être frais et légèrement humide en permanence, ce qui est idéal pour que les plantes poussent seules, sans apports d'arrosage. Toutefois, au pied des arbres, et en particulier des érables, le sol risque d'être sec et pauvre en permanence. Il faut alors cultiver les plantes capables de pousser dans ces conditions ou assurer un apport d'eau régulier.

Le rose lavande des fleurs du géranium vivace 'Karmina' s'associe bien au pourpre des tiges de l'ampélopsis élégant. La forme pointue des feuilles se distingue des feuilles plutôt arrondies du géranium.

Une tige d'aristoloche est allée se perdre dans les bras d'un jeune mélèze à feuillage fin. Ce fond de grandes feuilles vert clair est parfait pour rehausser les petites fleurs de cette laitue vivace (*Lactuca plumieri*).

Une jeune bouture de séneçon orange accompagne les annuelles colorées de ce contenant décoratif.

Comment réussir des associations de plantes grimpantes avec d'autres végétaux du jardin?

VOICI QUELQUES SUGGESTIONS. Comme mentionné à plusieurs endroits dans cet ouvrage, les plantes grimpantes se marient très bien avec plusieurs végétaux du jardin, notamment avec des arbustes (voir à la page 141 pour plus de détails à ce sujet). Or, l'art d'associer les bonnes plantes ensemble demande un peu de doigté. En effet, certaines combinaisons ne fonctionnent pas ou ne créent pas l'effet escompté. **LE RESPECT** des proportions est le premier facteur dont il faut tenir compte. Une plante vigoureuse comme le kiwi rustique 'Issai' peut littéralement dévorer un petit arbuste ou un massif de fleurs annuelles. À l'inverse, un délicat pois de senteur serait complètement perdu dans le feuillage d'un arbuste bien joufflu. La vigueur de la plante grimpante doit être proportionnelle à celle de la «plante support». **LE FEUILLAGE** a aussi son importance. Présent du printemps à l'automne, donc plus longtemps que les fleurs, il faut s'assurer que le feuillage de la plante grimpante se marie bien avec celui de la «plante support». En règle générale, vous devez tenter d'opposer les tailles et les textures. Les grandes feuilles de la gloire du matin se découpent bien sur une plante à petites feuilles. Le fin feuillage de l'ipomée rouge (*Ipomoea multifida*) ou de l'ipomée cardinal (*I. quamoclit*) passerait inaperçu s'il n'était pas appliqué contre des larges feuilles, comme celles d'un canna ou d'une aristoloche. Vous devez aussi prendre en compte les couleurs de feuillage, le pire étant de marier plusieurs feuillages panachés ensemble. Pour discerner une panachure, elle doit se trouver sur un fond unicolore, vert, pourpre ou autre. Vous devez faire porter l'attention sur le fait que le vert n'est pas que vert. Il existe une foule de tons entre le vert chartreuse et le vert très foncé, presque violacé. **POUR FINIR,** les floraisons! Pour vous éviter de commettre des erreurs, utilisez des couleurs qui sont proches. Combinez deux tons de rose, deux tons de mauve, etc., ou encore cultivez les fleurs à tons chauds ensemble (jaune, orange, rouge écarlate), et faites de même pour celles aux tons froids (bleu, mauve, violet). Cela dit, les effets de contraste sont tout aussi saisissants, mais demandent un peu plus de doigté. **DANS LES FAITS,** les possibilités de mariages sont infinies. On peut tout d'abord mélanger les plantes grimpantes entre elles. Celles-ci se marient bien les unes aux autres, et le feuillage du houblon fait des miracles en compagnie d'à peu près toutes les plantes grimpantes rustiques, notamment les clématites à fleurs jaunes, l'akébie à cinq folioles ou l'igname. Il y a les clématites à floraison hâtive, comme 'Blue Bird', qui savent égayer le printemps de leur belle floraison, puis laisser la place aux autres plantes grimpantes à feuillage décoratif. N'oubliez pas les arbres et petits arbres, qui peuvent servir de supports, ni les vivaces et les annuelles, qui cohabitent très bien avec les plantes grimpantes à plus petit déploiement, comme les pois de senteur, les manettias ou les pois de cœur.

*E*st-il possible d'utiliser des plantes grimpantes comme couvre-sol?

Ce jeune plant de vigne vierge 'Star Showers' formera un très joli tapis avec son feuillage moucheté. Peut-être lui permettra-t-on de s'accrocher aux végétaux environnants.

UN BON COUVRE-SOL est une plante capable de développer de longues tiges assez rapidement et de produire un feuillage suffisamment dense pour camoufler le sol. Laissées à elles-mêmes avec nulle part où s'accrocher, les plantes grimpantes deviennent, dans la majorité des cas, des plantes tapissantes. Il est donc possible de laisser courir une plante grimpante, sans tuteur, sans treillis et la forcer à ramper à terre. Évidemment, si elle vient à la rencontre d'un obstacle, elle aura vite fait de s'en emparer. **CERTAINES PLANTES** grimpantes forment d'excellents couvre-sol, car elles ont la capacité d'émettre des racines adventives, c'est-à-dire des racines qui apparaissent le long de la tige. C'est le cas des hydrangées grimpantes (y compris les cultivars comme 'Mirranda') ou des lierres anglais (notamment du cultivar 'Thorndale') qui se servent de leurs racines comme système pour s'accrocher. Au contact du sol, les gourdes, le bourreau des arbres, le houblon, la vigne vierge et les ampélopsis peuvent eux aussi s'enraciner. **D'AUTRES PLANTES** ont tout simplement ce qu'il faut pour se développer en largeur. Les chèvrefeuilles grimpants, laissés sans support, prennent la forme d'arbustes larges et bas, à branches étalées. Même s'il ne s'agit pas de plantes qui rampent à moins de 15 cm du sol, ils forment tout de même de très bons couvre-sol. **UNE AUTRE PLANTE** surprenante sous forme de couvre-sol est la clématite. D'accord, elle ne forme pas toujours des tapis denses, mais elle fait des merveilles, si on la laisse ramper entre les vivaces des plates-bandes mixtes. Le feuillage remplit les interstices entre les plantes vivaces, ce qui réduit les besoins en désherbage et toutes les fleurs poussent vers le soleil, donc se dressent à la verticale. Il existe d'ailleurs des espèces de clématites qui ne sont pas grimpantes du tout et qui forment de petits buissons étalés. Les voir ramper peut être fort intéressant pour le jardin, mais les voir ramper et grimper est aussi attirant. En plantant à une certaine distance d'un treillis ou d'une tonnelle, on peut encourager la plante à ramper sur un mètre ou deux avant d'atteindre un support de croissance. **À L'OPPOSÉ,** certains arbustes peuvent, lorsqu'ils

Utilisée au départ comme couvre-sol à l'ombre, cette vigne vierge colonise maintenant les branches basses des conifères, donnant un aspect de jungle à l'ensemble.

entrent en contact avec un mur, prendre la route vers le ciel. C'est le cas de nombreux fusains de Fortune (*Euonymus fortunei*), des cotonéasters horizontaux (*Cotoneaster horizontalis*), cognassiers du Japon (*Chaenomeles* sp.) et des buissons ardents (*Pyracantha* sp.). **À LA PLANTATION,** il est important de respecter les distances entre les plants, de la même manière que si les plants poussaient sur des treillis. Il faut aussi planter en accord avec les besoins de culture et d'ensoleillement de chaque plante.

Un large mur couvert de vigne vierge, rien de mieux pour atténuer la dureté d'une grande surface de pierres.

Une collection de clématites couvre rapidement le mur de cette nouvelle résidence, le temps que l'hydrangée grimpante se développe et occupe toute la surface.

*Q*uelles sont les plantes grimpantes qui conviennent pour habiller un mur orienté plein sud?

LE PLEIN SOLEIL est approprié pour un grand nombre de plantes grimpantes, car la recherche de la lumière est une des raisons qui expliquent leur mode de croissance particulière. Même si elles peuvent toutes pousser sur un mur, à l'aide de treillis ou d'autres supports, ce ne sont pas toutes les plantes grimpantes qui ont la vigueur nécessaire pour le couvrir. **LA SEULE PLANTE** capable de pousser contre un mur sans aucune aide et avec vigueur est la vigne vierge (*Parthenocissus quinquefolia*). Si le mur est très chaud et exposé au grand soleil, il faut éviter le cultivar à feuillage panaché qui risque de souffrir de brûlure des feuilles. La vigne vierge est munie de vrilles à crampons qui se collent solidement aux parois. Il suffit donc de la planter au pied du mur, d'aider les premières tiges à s'y appuyer à l'aide d'attaches, et la voilà partie. Elle peut couvrir un mur complet en peu de temps et poursuivre sa croissance sur la toiture et sur tout ce qui se trouve sur son passage. **LES HYDRANGÉES GRIMPANTES** peuvent aussi s'accrocher aux parois d'un mur à l'aide de leurs racines adhérentes, mais leur croissance est excessivement lente. Par contre, elles ont l'avantage de fleurir. Encore une fois, le cultivar 'Mirranda', avec ses feuilles à marges jaunes, ne convient pas au plein soleil. Un peu d'ombre, surtout le midi, empêche le feuillage d'être endommagé. **L'AKÉBIE À CINQ FOLIOLES,** le bourreau des arbres et le kiwi ornemental, qui se développent à l'aide de tiges volubiles, sont tous aussi vigoureux, mais ils nécessitent un support de croissance. **ÉVIDEMMENT,** le type de plante que vous choisirez doit respecter les dimensions du mur que vous avez à couvrir. Les plantes précédentes conviennent à de grands murs, facilement ceux qui s'élèvent sur deux étages. Toutefois, vous pouvez aussi cultiver des plantes à plus petit déploiement, pour le simple plaisir de décorer une portion de mur. À ce titre, les clématites sont idéales et seront très heureuses de pousser au plein soleil. Cependant, il faut vous assurer que le sol demeure frais, soit en appliquant une épaisse couche de paillis ou en plantant des végétaux qui pourront ombrager la base des plants. **LES ROSIERS GRIMPANTS** et les jasmins trompettes conviennent aussi à la culture contre un mur au sud. Côté plein soleil, c'est sans aucun doute la vigne à raisin qui bénéficie le plus de cette chaude exposition et, sans taille, elle pourrait effectivement couvrir une assez grande surface, à l'aide d'un treillis, bien sûr. Il faudrait alors être prêt à sacrifier la production de fruit.

Cette pergola et ce treillis permettent aux propriétaires de jouir de leur patio en paix, à l'abri des voisins.

Ce treillis recouvert d'aristoloche cache la serre qui se trouve en arrière.

Quelles sont les plantes grimpantes qui ont une croissance très rapide pour dissimuler une vue indésirable?

ON NE CHOISIT PAS toujours ses voisins, ni les vues avoisinantes. L'utilisation de plantes grimpantes est un moyen efficace et rapide de dissimuler tout ce qui a besoin d'être mis hors de vue. Ce peut être quelque chose d'aussi banal que de camoufler la thermopompe ou le filtre de la piscine. Vous pouvez aussi choisir de cacher sous la verdure des portions d'un bâtiment dont la finition laisse à désirer. C'est beaucoup moins dispendieux que de refaire le recouvrement d'un vieux garage, par exemple. **SOUS LE COUVERT** des plantes grimpantes, il est possible de cacher des éléments qui se trouvent à l'intérieur du jardin, mais aussi de cacher ce qui se trouve à l'extérieur de votre propriété. Le voisin de gauche collectionne les carcasses de voitures dans sa cour arrière? Bloquez cette vue avec un treillis recouvert de plantes grimpantes. Le voisin de droite vient d'installer son antenne parabolique large comme une soucoupe volante? Bonsoir, elle est partie! **ENFIN,** avec ces maisons de plus en plus près les unes des autres, il peut être vital de se créer un coin d'intimité, hors de la vue des yeux curieux. Il s'agit alors d'empêcher le regard des autres de fureter de votre côté de la clôture. Les plantes grimpantes ont aussi l'avantage d'occuper peu d'espace en largeur. Que demander de plus dans ces jardins restreints? **POUR TOUTES CES RAISONS,** le temps presse et il est nécessaire d'avoir des plantes à développement rapide. Les plus rapides de toutes seront évidemment des plantes annuelles, car les plantes rustiques demandent d'un à trois ans de culture avant de vraiment se développer avec vigueur. Les haricots grimpants, les gourdes et les haricots asperges peuvent donc être semés au pied d'autres plantes grimpantes qui se développeront plus tard. En plus d'être plus vites que l'éclair, ces plantes annuelles déploient un feuillage large, parfait pour créer un écran. Bien arrosées et fertilisées, les gloires du matin peuvent, elles aussi, servir d'écran rapide, mais ce sera souvent au détriment des fleurs.

VIENNENT ENSUITE les plantes grimpantes herbacées, qui renaissent du sol chaque printemps, comme les aristoloches et les houblons. En rapidité, elles suivent de près les plantes grimpantes annuelles. **FINALEMENT,** après deux à quatre ans de culture, s'élèveront à une vitesse rapide les vignes vierges, les vignes à raisin, les bourreaux des arbres et les ampélopsis. Pour un peu de floraison, c'est la clématite à fleurs jaunes qu'il vous faut marier avec ces différents feuillages. Même si elle développe un feuillage léger, elle peut atteindre des sommets en un rien de temps. C'est la plus vigoureuse et une des plus grandes clématites. **LA VIGUEUR** des plantes grimpantes sera aussi en lien avec les conditions de culture. Une plante bien adaptée se développera avec facilité. En cas de doute quant aux conditions du sol existant, mieux vaut combiner différentes plantes grimpantes que d'en planter une seule sorte. Ainsi, vous êtes assuré qu'au moins une des espèces présentes y trouvera son compte et dominera les autres de quelques centimètres.

*C*omment fixer un support de croissance pour les plantes grimpantes sur un mur?

LA TÂCHE semble un peu complexe, mais l'installation d'un treillis sur un mur est relativement simple. La première étape est d'installer des crochets ou des vis d'ancrage en perçant des trous directement dans le mur. Sur les murs de briques ou de pierres, vous percez les trous dans le mortier à l'aide d'une mèche spécialement conçue à cet effet. Ne percez pas directement dans la brique ou la pierre simplement parce que c'est plus difficile et que vous risquez de faire fendre le matériau. Utiliser des vis ou des attaches spécialement conçues pour le béton (connues sous le nom de Tapcon®), car les rivets sont spécifiquement inventés pour s'ancrer solidement dans ces

Un poteau de métal bien ancré dans le sol, un cerceau fixé à son extrémité supérieure et de la ficelle, cela suffit pour créer une colonne de haricot d'Espagne.

Les plaques de métal qui reçoivent les poteaux de ce treillis sont fixées dans des colonnes de béton, ce qui les empêche de se déplacer sous l'effet du gel et du dégel.

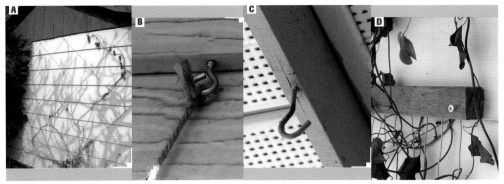

A Damier de fil de fer galvanisé.
B Anneau soutenant une ficelle
vissée dans le repli du revêtement. **C** Crochet servant à supporter un petit treillis de bois.
D Ce vieux bout de bois à rainure
a été récupéré pour être directement vissé dans le revêtement.

matériaux. Pour les recouvrements d'aluminium, de PVC, de bois ou d'agré-
gat, vous percez simplement là où il le faut. Par mesure de précaution, vous
devez calfeutrer le contour des points d'attache avec un scellant pour
l'extérieur, comme celui que l'on utilise pour les rebords de fenêtres. **À
PARTIR DE LÀ,** vous pouvez procéder de différentes manières. Si vous décidez
de visser le treillis directement dans le mur, il faut alors ajouter un petit bloc
de bois d'environ deux à cinq centimètres d'épaisseur entre le mur et le treillis. En plus d'assurer une bonne circulation d'air, cet espace permet aux
plantes à tiges volubiles de s'enrouler plus facilement. **VOUS POUVEZ**
aussi choisir d'installer un système de crochets et d'anneaux, ou un support
en fer qui permet de décrocher le treillis en un rien de temps. Cette technique est pratique pour nettoyer les murs, les repeindre ou pour entreposer
un treillis décoratif peu résistant aux intempéries. Dans une quincaillerie,
vous trouverez des systèmes de raccord pour à peu près toutes les situations. Sélectionnez des pièces résistantes à la rouille, soit galvanisées ou en
aluminium. **IL EST AUSSI POSSIBLE,** à l'aide de fil de fer et d'anneaux fixés
directement dans le mur, de créer une sorte de damier qui remplace à peu
de frais le traditionnel treillis de bois ou de plastique. Pour cela, espacez les
crochets de 30 à 60 cm, selon l'effet désiré. Ce système convient bien au
palissage, une technique qui consiste à diriger les tiges sur les fils dans le
but de créer un motif régulier. Toutes les autres sections de branches qui
nuisent au motif sont taillées. **SI VOUS NE SOUHAITEZ PAS** percer directement dans le mur, vous pouvez avoir recours à l'utilisation de la corniche. Le
prolongement du toit plus loin que le mur peut servir à fixer des crochets
desquels vous suspendrez un treillis. Cette méthode convient quand ceux-
ci ont un faible poids. C'est aussi de cet endroit qu'il vous est possible de
tendre des ficelles, sur lesquelles peuvent s'enrouler les tiges volubiles.
ENFIN, vous pouvez partir du sol en installant un système d'ancrage
dans lequel peuvent reposer les poteaux d'un treillis. On évite de planter les
poteaux de bois directement dans le sol, même s'ils sont en bois traité.

Des fleurs au printemps (*Clematis alpina* 'Pamela Jackman')...

... en été (*Clematis* x 'H.F. Young')...

... et en automne (*Clematis terniflora* var. *robusta*).

Est-il exact qu'on peut sélectionner des clématites pour avoir une floraison du début du printemps à la fin de l'été?

Il existe plus de 300 espèces de clématites dans le monde et, bien entendu, elles ne sont pas toutes identiques. Certaines sont grimpantes, d'autres sont herbacées, poussant comme des vivaces. Certaines fleurissent au printemps et d'autres plus tard en été. Alors, oui, c'est possible d'avoir des clématites en fleurs sur une très longue période. **Les premières** à s'épanouir sont les clématites du groupe des atragènes, dont font partie les *Clematis macropetala* et les *Clematis alpina*. Elles sont en fleurs de la fin de mai au début de juin, en même temps que les lilas, les rhododendrons, les tulipes, les iris de Sibérie et certaines pivoines à fleurs simples et à floraison hâtive. Il y a aussi beaucoup de rosiers à floraison non remontante qui sont en fleurs à cette période. **La fin de la floraison** des clématites de ce précédent groupe marque le début de la floraison des clématites à larges fleurs et à floraison hâtive, celles que l'on classe dans le groupe de taille 2. Leur floraison se prolongera jusqu'en août. C'est dans ce groupe que se trouvent les cultivars 'Carnaby', 'Dr. Rupple', 'Elsa Späth', 'Miss Bateman' et 'Nelly Moser'. Nous sommes alors en plein cœur de l'été et le jardin explose de floraisons vives. **À peine quelques semaines** plus tard apparaissent les fleurs des clématites à larges fleurs et à floraison tardive, du groupe de taille 3. Elles aussi poursuivent leur floraison jusqu'en août. Le célèbre cultivar 'Jackmanii' est de ce groupe, tout comme 'Comtesse de Bouchaud', 'Ernest Markham', 'Hagley Hybrid', 'Huldine' et 'Rhapsody'. **À travers** tout cela apparaissent les clématites du groupe des viticella, comme les hybrides 'Betty Corning', 'Étoile Violette' ou 'Venosa Violacea' qui s'épanouissent du début de juillet jusqu'en août. **Enfin,** le début août laisse naître les clématites à fleurs jaunes (*Clematis tangutica*), dont les fleurs éclosent durant tout le mois, et plusieurs espèces à petites fleurs comme la clématite akébioïde. Ce n'est pas fini, car la clématite 'Robusta' (*Clematis terniflora* var. *robusta*) est encore en fleurs à la mi-octobre! **Même si la majorité** des clématites fleurissent en été, la floraison de certaines d'entre elles peut empiéter sur le printemps et sur l'automne. Évidemment, il devient intéressant pour un même treillis de combiner quelques-unes de ces clématites pour prolonger le spectacle floral. Il n'y a aucune limite à conjuguer les clématites, mais il faut tenir compte de leur vigueur et des harmonies florales que créent les floraisons qui débordent les unes sur les autres.

*E*st-ce que la vigne vierge peut endommager le mur de briques sur lequel elle pousse?

C'EST SANS DOUTE le mythe qui colle le plus à la peau des plantes grimpantes. Une vigne vierge peut-elle mettre en péril le recouvrement extérieur d'une maison? Cette plante s'accroche aux murs grâce à des vrilles munies de suçoirs qui adhèrent aux parois et on accuse souvent ces crampons d'endommager le mortier et de faire fendre la brique. Le détail que l'on oublie de mettre en avant est que le mortier et les briques subissent le passage du temps. Nul matériau n'est éternel. Il est donc facile de mettre sur le dos d'une pauvre petite plante inoffensive l'usure normale du mortier, qui après 20 ou 30 ans, tend à s'effriter, qu'il y ait présence de plantes grimpantes ou pas. Même chose pour la brique. Il en existe différentes qualités et les moins bonnes peuvent se désagréger lorsqu'elles gagnent en âge. Dans ce phénomène, les plantes ont peu à voir. Il est donc faux d'accuser la vigne vierge d'endommager la brique et le mortier. 🗨 **TOUTEFOIS,** la présence de plantes grimpantes, notamment de la vigne vierge, a un certain impact sur les matériaux. D'abord, la présence de ce feuillage crée près du mur une légère augmentation du taux d'humidité. Rien de très dommageable pour

Un mur couvert de vigne vierge, sur deux étages, c'est sans danger pour la brique.

les surfaces rigides, comme la brique ou la pierre, mais le bois peut en souffrir. Trop d'humidité peut accélérer la pourriture d'un recouvrement de bois, sauf bien sûr s'il s'agit de bardeaux de cèdre. De plus, il y a le fait que les crampons de la vigne vierge s'accrochent solidement aux murs. Si fermement que les disques restent bien fixés lorsqu'on tente d'arracher les tiges. Le problème est davantage dans le nettoyage de la brique, si on décide de retirer la vigne vierge. Une fois frottée avec une brosse à poils rigides, celle-ci reprend son allure originale et rien n'y parait. Pour éviter ce travail fastidieux, mieux vaut planter la vigne vierge là où elle pourra rester très longtemps. Tout ceci est donc bénin comparativement au désagrégement des surfaces que l'on attribuait aux vignes vierges. 🗨 **POUR FINIR,** on doit souligner l'importance et les qualités de la vigne vierge comme habitat. Oui, oui! Vous passerez des heures à répertorier toutes les petites créatures qui profitent de la fraîcheur de ce feuillage vertical. De nombreux insectes, quelques limaces, et aussi des oiseaux. Il n'est pas rare de voir des oiseaux faire leur nid dans ce paradis secret. Il faut aussi entendre le mur gazouiller de chants d'oiseaux, à l'automne, lorsque les fruits sont à maturité. On les entend beaucoup et on les voit peu.

Comment les planter ?

Comment planter correctement les plantes grimpantes rustiques ?

On dépote la plante en renversant le contenant, tout en retenant la plante d'une main et en enlevant le pot de l'autre.

On plante la motte au même niveau que le sol.

PUISQUE LES PLANTES grimpantes rustiques restent au même endroit durant plusieurs années, la préparation de l'emplacement où on souhaite les établir est très importante. Bien sûr, vous devez vous assurer de planter la bonne plante au bon endroit. Choisissez toujours les plantes grimpantes en fonction des conditions existantes dans le jardin. Évitez de modifier la composition d'un sol pour l'adapter à une plante spécifique. De plus, c'est avant la plantation que vous devez installer le support de croissance, que ce soit un treillis, du filet, des ficelles ou autre. 🦜 IL Y A DIFFÉRENTES APPROCHES à la plantation. Voici comment je procède depuis des années avec beaucoup de succès. En tout premier, avant de donner le moindre coup de pelle, j'arrose la plante quand elle est encore dans son pot de production, afin de bien humidifier la motte. Si le terreau semble très sec, j'arrose à nouveau, jusqu'à ce qu'il absorbe bien l'eau. Cela garantit aux racines une bonne humidité, même si le sol dans la plate-bande est très sec. La reprise est meilleure. Un terreau sec fait flétrir la plante plus vite entre les arrosages et les risques d'endommager une partie des racines et de la plante sont plus élevés. 🦜 ENSUITE, je nettoie à fond les quelques mètres de plate-bande environnant l'emplacement choisi. J'arrache toutes les mauvaises herbes vivaces, en prenant soin de déterrer les racines au complet. Si la plate-bande est infestée de chiendent ou de prêle, je tourne et je retourne la terre pour récolter le moindre petit bout de rhizome. Par la suite, tout au long de la première année, je fais un désherbage attentionné, déterrant jusqu'au point d'origine, le moindre petit bout de mauvaise herbe qui émerge du sol. 🦜 UNE FOIS toutes ces opérations réalisées, je creuse. Je fais un trou qui est environ 10 cm plus large sur tout le tour (20 cm de diamètre de plus que le diamètre du pot) et environ 20 cm plus profond. Ces espaces libres, une fois remplis de terre ameublie, faciliteront l'enracinement. Je mets la terre excavée de côté, car elle servira à enterrer la plante plus tard. À cette terre existante, j'ajoute des matières organiques. Ce peut être un compost ou un fumier bien décomposé. Pour une plante qui préfère les sols pauvres, quand elle est cultivée en pot d'un litre ou un gallon, j'apporte seulement une pelletée, mais j'en mets deux quand elle est vendue dans un pot de trois gallons ou plus. Si la plante préfère un sol plus ou moins riche, je double les quantités. En tout temps, le volume de matières organiques ne devrait jamais excéder un quart du volume de terre mis de côté. J'ajoute parfois, selon le besoin des plantes, environ un quart de tasse de farine de crevette, de crabe ou un engrais granulaire organique, à base de fumier de poule ou encore un engrais granulaire minéral à base de basalte. Idéalement, l'engrais sera plus riche en phosphore, mais une formulation équilibrée est concevable. Je mélange bien tous les «ingrédients» et je dépose un peu de cette terre maintenant amendée au fond du trou. 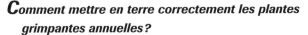 **UNE FOIS LE TRAVAIL** de préparation complété, je dépote la plante en renversant le pot à l'envers d'une main et en supportant la plante de l'autre. On ne doit jamais tirer sur les tiges pour sortir une plante de son contenant, elle risquerait de se briser. Je place ensuite la plante grimpante dans le trou en manipulant les tiges avec soin pour ne pas les endommager. Sauf pour les clématites que l'on plante un peu plus profondément (voir page 160 pour plus de détails sur la plantation des clématites), pour la majorité des plantes grimpantes, le niveau de sol final doit être à la même hauteur que le niveau de sol dans le pot. J'ajuste la hauteur, puis je commence à remplir les côtés de terre amendée en tassant celle-ci au fur et à mesure, avec les mains. Je tasse la terre pour éliminer les poches d'air, mais je ne compacte pas le sol comme de la cassonade bien tassée, car l'air doit être présent dans le sol et fait partie de sa composition. Sans air, c'est l'asphyxie. **FINALEMENT,** avec le restant de terre, je forme une cuvette autour de la plante. Celle-ci permet de recueillir l'eau d'arrosage. Je laisse la cuvette durant toute la première année de culture, après quoi j'égalise la terre dans le reste de la plate-bande. Il ne me reste plus qu'à diriger les tiges vers le support et c'est parti!

Comment mettre en terre correctement les plantes grimpantes annuelles?

LES PLANTES ANNUELLES grimpantes sont achetées au printemps après les derniers risques de gel, car c'est à partir de cette date que l'on peut les planter. Si on les achète très tôt au printemps, il faudra s'assurer de pouvoir entrer les plantes à l'abri du gel le soir ou par temps froid. Les plantes grimpantes annuelles sont produites et, le plus souvent, conservées en serre jusqu'au moment de leur vente. Même si une serre est très lumineuse, la lumière n'y est pas aussi forte qu'à l'extérieur. En plaçant une plante grimpante nouvellement achetée directement au soleil, le feuillage risque de souffrir d'un coup de soleil. Oui, un coup de soleil! C'est ce que les professionnels appellent l'insolation. Elle crée d'abord des taches bronzées sur le feuillage qui se mettent alors à blanchir ou à pâlir. Pour prévenir cet accident de parcours, il faut acclimater les plantes à une lumière plus intense. Les nouveaux plants sont donc placés quelques jours, trois ou quatre, à la mi-ombre, puis sont graduellement déplacés vers leur destination finale, probablement plus au soleil. **AVANT DE PLANTER,** installez les tuteurs, filets

Le sol autour de cette gloire du matin 'Cameo Elegance' a été tassé avec les mains au moment de la plantation. Cette gloire du matin plantée devant une clématite 'Hagley Hybrid' devrait donner un mariage réussi.

ou autres supports de croissance, nettoyez bien la plate-bande de ses mauvaises herbes et arrosez les plantes encore dans leurs contenants de production. Les plantes grimpantes annuelles sont souvent cultivées en pot d'un ou deux litres. **CREUSEZ UN TROU** de 10 cm plus large sur tout le tour et 20 cm plus profond que les dimensions du pot. À la terre excavée, ajoutez une pelletée de compost et un engrais granulaire naturel. Vu leur caractère annuel, on peut chercher à tirer le maximum de ces plantes. En ce sens, il ne faut pas hésiter à être généreux en engrais, chose que l'on peut faire dès la plantation, avec les engrais granulaires. Ajoutez entre un quart et une demi-tasse d'engrais. L'exception est évidemment la gloire du matin qui, avec trop d'engrais, produit beaucoup de feuilles et pas de fleurs. Mélangez bien la terre et les amendements, puis déposez un peu de cette terre meuble au fond du trou. **DÉPOTEZ LA PLANTE** en renversant le pot et en retenant la motte d'une main. Procédez avec soin pour ne pas endommager les tiges qui sont fragiles. Placez la plante au fond du trou et ajustez le niveau. Le dessus de la motte devrait arriver à égalité avec le sol. Manipulez la motte de racines avec soin pour ajuster le niveau, car certaines plantes grimpantes annuelles supportent mal la transplantation. C'est le cas des chapeaux chinois et de toutes les plantes de la famille des courges, des gourdes et des concombres. **ENFIN,** remplissez les interstices avec la terre enrichie en tassant avec les mains. Ceci évite les poches d'air à travers lesquelles les racines ne peuvent pas se développer. Ne tassez pas trop le sol, car les racines ont tout de même besoin d'un peu d'air, d'où l'utilité des vers de terre! Avec le surplus de terre, formez une cuvette de rétention d'eau autour de la nouvelle plante et arrosez généreusement. **IL SUFFIT** ensuite de diriger les jeunes tiges vers les treillis et d'apprécier.

Quelle est la meilleure période pour mettre en terre des plantes grimpantes rustiques?

LES PLANTES GRIMPANTES rustiques sont habituellement produites et vendues en pot. La culture en contenant favorise le développement d'un système de racines important dans un espace restreint. Cela permet au jardinier de manipuler une motte de racines sans endommager celles-ci. La plante subit donc peu de stress au moment de la plantation, et c'est la raison pour laquelle il est possible de mettre en terre les plantes grimpantes cultivées en contenant du printemps à l'automne, indifféremment. Dès que le sol est dégelé, même avant la sortie des feuilles dans les arbres, jusqu'à ce que le sol gèle tard en automne, on peut planter. **IL Y A DES PÉRIODES** de l'année qui sont meilleures que d'autres. Les plantes subissent mieux la plantation si celle-ci est faite lorsqu'elles sont en période de dormance, c'est-à-dire sans feuilles. En état de dormance, elles vivent au ralenti, elles dorment,

L'automne est une très bonne saison pour acheter et mettre en terre des plantes grimpantes. En plus d'augmenter le succès de la plantation, on profite des rabais des pépinières.

donc elles ne sont pas dépendantes des arrosages ou ne souffrent pas d'excès de chaleur. C'est donc très tôt au printemps et très tard en automne qu'il convient le mieux de planter. Contrairement à la croyance, ce n'est pas au printemps que les plantes rustiques développent le plus de racines, c'est en automne. En effet, dès que les feuilles commencent à se colorer dans les arbres, celles-ci déploient une quantité importante de racines, comme un écureuil qui fait des réserves. 🗨 **L'ÉTÉ PRÉSENTE** certains inconvénients en ce qui a trait à la plantation. D'abord, il fait chaud et les plantes transpirent. Absorber l'eau du sol pour remplacer celle qui s'évapore est une tâche ardue pour une plante, surtout si, en plus, il y a sécheresse. Le manque d'eau, doublé d'une chaleur intense, peut être fatal à une plante dont les arrosages ne sont pas suivis de près. Soyez donc particulièrement généreux en eau si la plantation s'effectue au mois de juillet ou août.

*Q*uand peut-on semer des plantes grimpantes directement à l'extérieur ?

TOUT DÉPEND de la plante. Certaines plantes grimpantes peuvent être semées dès que le sol est dégelé, d'autres, plus sensibles au froid, préfèrent attendre le retour de la chaleur. Habituellement, on sème vers la fin de mai, lorsque les risques de gel sont écartés, mais il y a plusieurs exceptions. Les informations qui suivent sont valables pour la grande région de Montréal qui est dans la zone de rusticité 5. Pour connaître les dates dans les autres régions, repoussez les dates de deux semaines et demie pour la zone 4 et de deux autres semaines pour les zones 3 et 2. 🗨 **SEMEZ LES PETITS POIS** et les pois de senteur en mai, lorsque le sol est dégelé et que le surplus d'eau contenu dans le sol s'est résorbé. En effet, ces plantes qui aiment les températures fraîches sont résistantes à de petits gels. Sous la terre, les graines ne subissent pas l'effet du gel et, très souvent, elles attendent là, patiemment, que le sol se réchauffe et qu'il soit à la bonne température. 🗨 **ENVIRON UNE SEMAINE** avant les derniers risques de gel, soit vers la troisième semaine de mai, vous pouvez semer les haricots grimpants, les pois de cœur, les gloires du matin et les doliques. Le temps que la germination s'opère, les jours auront passé, et les gels aussi. 🗨 **DE PLUS,** il y a, parmi les plantes grimpantes annuelles, des plantes d'origine tropicale et d'autres qui sont, simplement par nature, amoureuses de la chaleur. Le moindre souffle du vent du nord les fait frémir. Pour celles-ci, attendez une semaine après les derniers risques de gel, ce qui vous mène au début de juin. Ces frileuses sont les gourdes, les haricots asperges, les concombres amers et les concombres sauvages. Vous pouvez semer des annuelles grimpantes jusqu'à la fin du mois de juin. Après cette date, la saison n'est plus assez longue pour permettre aux plantes de se développer et de fleurir.

Généralement, on sème les plantes grimpantes au printemps, lorsque les risques de gel sont écartés.

Semez trois ou quatre graines au même endroit et conservez le plant le plus vigoureux de ceux qui germent.

Avant de semer, ajoutez une fine couche de compost et incorporez-la au sol à l'aide de la fourche à bêcher.

*C*omment semer les plantes grimpantes annuelles à l'extérieur?

LES SEMIS DE PLANTES grimpantes sont relativement faciles à réaliser. Certaines graines, comme celles des pois de senteur et des gloires du matin, germent avec plus de facilité si vous les faites tremper dans l'eau durant 24 heures. Pour cela, il vous suffit de déposer les semences dans un plat d'eau tiède. **D'AUTRES PLANTES GRIMPANTES** annuelles ne peuvent pas être semées directement à l'extérieur, soit parce que la germination est difficile, comme l'asarine, soit parce qu'elles nécessitent une très longue saison de croissance pour fleurir, comme la cobée. Vous devez les semer à l'intérieur entre février et mai (voir la page 185 pour plus de détails sur les semis à l'intérieur). **PRÉPAREZ D'ABORD** le terrain en éliminant les mauvaises herbes et en incorporant si nécessaire des matières organiques au sol. Quelques millimètres de compost à la surface du sol suffisent. À cela, ajoutez, si vous le désirez, un engrais granulaire naturel équilibré, ou plus riche en phosphore (le chiffre du milieu). Lorsque la terre est bien mélangée, égalisez le sol. Tracez un sillon si vous plantez en rang, ou creusez un trou, si vous semez à un endroit spécifique. La profondeur du sillon ou du trou est proportionnelle à la grosseur des semences. Les grosses graines des haricots grimpants 'Painted Lady' sont semées à une profondeur de cinq centimètres environ. Par contre, celles des pois de senteur sont mises en terre à une profondeur d'un ou deux centimètres. Les très petites semences sont à peine recouvertes. Déposez-les en les espaçant d'au minimum deux centimètres, jusqu'à 50 cm, selon l'espèce et l'effet désiré. Si vous semez en un seul endroit, il est sage de quand même mettre en terre plusieurs graines au même endroit, car ce ne sont pas toutes les semences qui germent.

TEMPS DE GERMINATION DES SEMENCES DE PLANTES GRIMPANTES ANNUELLES

NOM	TEMPS DE GERMINATION	DISTANCE MOYENNE ENTRE LES GRAINES
Concombre amer	14 à 21 jours	100 cm
Dolique	14 à 30 jours	50 cm
Épinard de Malabar	14 à 20 jours	50 cm
Gloire du matin	5 à 7 jours	45 cm
Gourde	6 à 12 jours	100 cm
Haricot asperge	7 à 20 jours	25 cm
Haricot grimpant	6 à 10 jours	30 cm
Ipomée rouge	5 à 10 jours	30 cm
Petits pois	7 à 10 jours	5 cm
Pois de cœur	15 à 20 jours	50 cm
Pois de senteur	7 à 14 jours	20 cm
Thunbergie	7 à 14 jours	45 cm

AU BESOIN, recouvrez les semences de terre et installez une étiquette ou des piquets pour vous rappeler qu'il y a des semences à cet endroit. Enfin, et c'est le plus important, arrosez avec un jet assez fin de manière à bien humidifier le sol. Arrosez tous les jours, plusieurs fois par jour si possible, jusqu'au moment de la germination.

*Q*uel type de support convient aux plantes grimpantes?

LA RÉPONSE est facile. Dès que c'est vertical, ça convient, car même si un support n'offre pas à la plante grimpante la possibilité de s'accrocher d'elle-même, on peut toujours fixer les tiges avec des attaches ou installer un filet ou un grillage qui permet à la plante de grimper. Évidemment, chaque structure convient plus à certaines plantes que d'autres. **LES MURS** sont évidemment très propices à recevoir les plantes grimpantes. Il y a celles qui s'accrochent d'elles-mêmes comme la vigne vierge ou l'hydrangée grimpante. Il y a les autres qu'il faut aider un peu. On peut donc installer sur un mur un treillis, un filet, un grillage métallique, des ficelles et bien d'autres choses qui permettent aux plantes grimpantes de s'enrouler. **CONTRE UN MUR** ou ailleurs dans le jardin, le treillis de bois est un classique. Il peut être entièrement construit de manière à avoir une allure originale ou encore être composé d'un treillis de lattes de bois préfabriqué entouré d'un cadre de 5 cm x 5 cm (2'' x 2'') muni de rainures. On peut les acheter tout faits ou les créer soi-même de toutes pièces. Les treillis de bois conviennent à la majorité des plantes grimpantes à tiges volubiles et celles à vrilles, surtout si les petits poteaux ou les lattes ont moins de 5 cm de largeur. Même si son espérance de vie n'est pas éternelle, le bois vieillit bien dans le jardin et se fond bien dans le paysage. **LE TREILLIS DE BOIS** peut être ajouté à une tonnelle ou une pergola. Les poteaux eux-mêmes, souvent de plus de 15 cm de largeur, peuvent recevoir quelques plantes grimpantes. Toutefois, il est difficile pour la majorité des plantes grimpantes de s'enrouler autour d'un objet si gros. **LES ARCHES,** quant à elles, sont le plus souvent faites de fer forgé. Rarement résistantes à la rouille, on pourra les peindre à tous les trois à cinq ans pour prolonger leur durée. Cela dit, le métal rouillé peut dégager un certain charme et, même rouillée, une arche en fer peut durer longtemps. Le fer forgé est aussi utilisé pour confectionner des tipis, des tuteurs décoratifs ou de petits treillis que l'on peut planter facilement dans le jardin. D'habitude, les objets de fer forgé sont très décoratifs, même sans plante. C'est pourquoi il convient de cultiver des plantes grimpantes moins vigoureuses qui permettent de révéler des parties de l'ornement en question.

LES TUTEURS de bambous, surtout les grands de deux mètres, sont aussi fort intéressants et permettent de créer des tipis géants ou des treillis. En liant les intersections avec de la corde brute, on crée un élément rustique.

A Treillis métallique. **B** Hydrangée grimpante s'accrochant à un mur. **C** Cône confectionné avec des bambous. **D** Treillis en nylon. **E** Treillis de bois. **F** Arche en bois brut. **G** Montage de bambou et de ficelle. **H** Arche en métal. **I** Obélisque en fer forgé.

Nul besoin d'ajouter que les structures de bambou sont particulièrement à leur place dans les jardins sobres ou d'inspiration asiatique. Toutes les plantes peuvent s'enrouler ou s'accrocher sur ce type de matériau. 🗨 **RAREMENT UTILISÉS** seuls, les filets, qu'ils soient de plastique ou de tissu, servent à recouvrir des surfaces où les plantes grimpantes ne pourraient grimper elles-mêmes. Pour les fixer, on les attache directement sur la structure ou on installe des crochets pour les soutenir. En utilisant un filet transparent ou de la même couleur que la structure, il devient invisible et laisse croire que les plantes grimpantes poussent sans aide. Dans la même lignée, tous les treillis métalliques, comme la broche à poule, permettent de belles réalisations. 🗨 **FINALEMENT,** la plus simple expression d'un support pour plantes grimpantes est la ficelle et le fil de fer. Une fois suspendus, ils peuvent accueillir toutes les plantes herbacées. Ce mode de croissance est un peu trop délicat pour les plantes qui développent des tiges ligneuses.

Ce n'est pas le fait de pousser sur une clôture métallique qui provoque le gel des branches, ce sont les rigueurs normales de l'hiver.

Plantez les clématites quelques centimètres plus bas que le niveau du sol.

On peut mettre les clématites «les pieds à l'ombre» en appliquant un paillis sur le sol où elles sont plantées. Cela suffit à prévenir le réchauffement du sol.

*L*es clôtures métalliques risquent-elles de brûler les tiges des plantes grimpantes rustiques qui y poussent?

LE MÉTAL est conducteur de chaleur, mais aussi de froid, c'est un fait. Toutefois, les plantes grimpantes qui poussent sur des clôtures métalliques souffrent peu du contact avec le métal. Les branches exposées à l'air sont victimes des intempéries de l'hiver. Les dommages occasionnés aux plantes grimpantes suite à celui-ci dépendent de la plante cultivée et de sa localisation. 🔖 **IL EST BIEN ÉVIDENT** qu'une plante cultivée à la limite de sa rusticité risque de souffrir des froids trop intenses. Par chance, ce ne sont que les parties aériennes qui en souffrent. Tout ce qui est sous la neige est protégé. Même des plantes très rustiques peuvent avoir certaines parties de leurs tiges gelées. Par exemple, si les températures subissent de très grands écarts, passant d'au-dessus de 0 °C à plus de –20 °C en l'espace d'une nuit. Ça, ça fait bobo! Aussi, une clôture exposée aux grands vents peut provoquer la dessiccation des tiges et donc leur mort. Dans ces endroits, il convient de cultiver des plantes qui sont au moins une zone de rusticité inférieure à que celle de l'emplacement en question.

*E*st-il vrai que les clématites aiment être plantées «les pieds à l'ombre et la tête au soleil»?

C'EST UN VIEIL ADAGE qui contient un fond de vérité et qui ne concerne pas toutes les clématites. Ce sont surtout les clématites à fleurs larges, qu'elles soient à floraison hâtive ou tardive, qui sont visées. Les racines de ces clématites ne détestent pas le soleil, mais n'aiment pas ce que le soleil fait. Il réchauffe le sol et assèche la terre, ce qu'elles n'apprécient guère. C'est pourquoi on conseille souvent de planter des vivaces ou de petits arbustes à leur pied afin de créer de l'ombre et de garder le sol frais. On conseille aussi de planter les clématites un peu plus profondément, deux à cinq centimètres sous la surface du sol. On peut également protéger les racines de ces plantes en appliquant une épaisse couche de paillis, que ce soit de la pruche, des écales de cacao ou de la paille. Le paillis empêche le sol de se réchauffer et conserve l'humidité. De plus, les clématites arrosées souvent souffrent moins d'avoir leurs «pieds» au plein soleil. 🔖 **LA PLUPART DES AUTRES** sortes de clématites (*Clematis macropetala, C. tangutica, C. alpina,* etc.) sont plus résistantes à la chaleur et au manque d'eau. 🔖 **QUANT À LA «TÊTE»,** elle aime effectivement le soleil, nécessaire pour avoir une floraison généreuse. Toutefois, les clématites à larges fleurs peuvent recevoir seulement six heures de soleil direct par jour et être très heureuses. Les clématites à floraison printanière et les clématites à fleurs jaunes peuvent fleurir avec encore moins de lumière directe, entre quatre et cinq heures. Toutefois, si on peut leur offrir le plein soleil, du matin au soir, c'est l'idéal.

*P*eut-on cultiver et comment agencer des plantes grimpantes en contenant décoratif?

Une thématique potagère compose ce grand chaudron d'aluminium. L'épinard de Malabar est accompagné de persil frisé et d'un plant de poivron 'Mariachi'. Non comestible, la calcéolaire accompagne le tout de ses fleurs jaune éclatant.

Dans cet aménagement, plusieurs plantes grimpantes sont cultivées en pot et on les fait escalader des obélisques.

LES PLANTES GRIMPANTES à petit déploiement, surtout celles qui sont annuelles, conviennent très bien à la culture en contenant ou en jardinière suspendue. À l'ombre ou au soleil, il est possible de créer des arrangements d'une grande beauté. POUR CULTIVER des plantes grimpantes en pot, vous devez choisir de grands contenants. Le diamètre de ceux-ci doit être de 25 cm ou plus, pour la simple raison que, plus les contenants sont petits, plus ils s'assèchent rapidement. Cela peut donc nuire à la croissance de certains plants. LES PLANTES GRIMPANTES peuvent être cultivées seules dans un grand contenant. Par exemple, un unique plant d'asarine ou de séneçon orange peut remplir généreusement un grand pot. Il y va de votre choix, d'ajouter des tuteurs métalliques décoratifs ou des supports improvisés en branches pour favoriser la croissance verticale ou «d'abandonner» la plante à son sort, en la laissant retomber jusqu'à ce qu'elle rencontre de quoi grimper dans son entourage. Une jardinière suspendue exclusivement composée de ces mêmes plantes, ou de thunbergies, est aussi fort jolie. LES CONTENANTS décoratifs peuvent aussi accueillir différentes plantes grimpantes. Plantez ensemble la thunbergie et l'asarine à travers desquelles vous sèmerez quelques gloires du matin, le tout guidé par des ficelles suspendues. Les différentes floraisons créeront un effet intéressant. Ou encore, plantez deux ou trois cultivars de gloires du matin aux couleurs contrastantes. LES PLANTES GRIMPANTES peuvent aussi accompagner des fleurs annuelles, des fines herbes ou des légumes. Allez-y d'un mélange où les fleurs des plantes grimpantes s'harmonisent avec celles des annuelles. Les verveines retombantes, les lantanas, les plumbagos et toutes les plantes à feuillage décoratif comme les plectranthes, les dichondras ou les hélichrysums se marient bien avec les plantes grimpantes de plein soleil. Les pois de senteur, qui occupent peu d'espace, mais qui en mettent plein la vue, font aussi de fort jolis contenants. À l'ombre, conjuguez les manettias avec de jeunes plants de fougère, des impatientes, des bégonias à feuillage décoratif ou des laîches (*Carex* sp.). À L'OMBRE comme au soleil, c'est évident que les lierres anglais peuvent aussi compléter les contenants d'annuelles, puisqu'ils sont présents sur le marché. Cependant, les cultivars commercialisés ne sont pas toujours rustiques. À l'automne, on peut replanter les lierres anglais rustiques dans le jardin pour l'hiver et les remettre dans les contenants au printemps. Les lierres anglais non rustiques peuvent être rentrés à l'intérieur et cultivés comme des plantes d'appartement.

A Versez le terreau dans le contenant. Utilisez un terreau d'empotage, spécialement conçu à cet effet. B Ajoutez un engrais granulaire, si désiré, et incorporez-le dans le terreau. C Le lierre anglais est très à son aise pour accompagner les annuelles dans un contenant décoratif. Laissez-le glisser vers le sol ou supportez les tiges sur des tuteurs décoratifs.

Comment installer des plantes grimpantes dans un contenant décoratif?

LA PLANTATION des plantes grimpantes dans des contenants décoratifs n'est pas très différente de la plantation des fleurs annuelles, des fines herbes ou des légumes. Les terreaux d'empotage conviennent très bien. Ceux-ci sont spécialement composés pour la culture en pot. Ils sont à base de tourbe fine, de perlite et de vermiculite. Ils sont légers et peuvent conserver l'eau d'arrosage plus longtemps. Ils sont parfois enrichis d'engrais à dégagement lent ou accompagné de cristaux absorbants. Vous devez éviter de planter dans de la terre noire ou de la terre à jardin, ces terres s'asséchant trop vite en contenant. Un terreau d'empotage conserve ses propriétés pendant trois ou quatre ans. Au lieu de le jeter et d'en racheter du nouveau chaque année, vous pouvez le réutiliser tel quel, ou le mélanger avec une portion de nouveau terreau ou un peu de compost. 🗨 **AVANT DE COMMENCER,** arrosez les plantes grimpantes encore dans leur pot et placez les contenants décoratifs aux bons endroits dans le jardin. Une fois plantés et arrosés, ils seront plus difficiles à déplacer. Ajoutez du terreau. Remplissez le pot environ de moitié seulement. Il vous sera plus facile de positionner les plantes avant d'ajouter le reste du terreau pour compléter le remplissage. Il n'est pas obligatoire d'emplir au complet de terreau les très gros contenants de plus de 45 cm de diamètre. Le fond peut être bourré avec des morceaux de caissettes de polystyrène usagées ou des fragments de terre cuite provenant d'un ancien contenant brisé. 🗨 **AU TERREAU,** vous pouvez incorporer des engrais granulaires, comme les farines de crevette ou de crabe, des engrais à base de fumier de poule ou de basalte. Suivez les recommandations du fabricant pour connaître les quantités à ajouter. Mélangez bien l'engrais et le terreau en profondeur. 🗨 **VISUALISEZ** le positionnement des plantes dans le pot et commencez la plantation par la plante grimpante, dont la motte est généralement plus grosse. Dépotez les plants en les renversant et en retenant la motte d'une main. Déposez la plante dans le contenant en vous assurant que le niveau de surface du substrat dans le pot de production arrive à environ trois centimètres sous le dessus du contenant décoratif. En effet, vous ne devez pas remplir le contenant jusqu'au bord. Vous devez laisser un rebord d'environ trois centimètres qui empêche l'eau d'arrosage de déborder et lui permet d'être absorbée par le terreau (on appelle cela une marge d'arrosage). Centrez la plante grimpante si elle est seule ou si vous souhaitez répartir les autres plantes tout autour. Positionnez-la très près du bord si elle sert de fond à d'autres plantations. Comme toujours, manipulez les plantes grimpantes avec soin, car les tiges sont fragiles et certaines ne supportent pas bien la transplantation. **METTEZ EN TERRE** les autres plantes, puis ajoutez ou enlevez du terreau pour tout égaliser. Une fois la plantation terminée, arrosez le contenant généreusement. Les tuteurs et les différents supports pour les plantes grimpantes peuvent être installés au moment de la plantation ou tout de suite après celle-ci.

Doit-on enlever les tuteurs fournis avec les pots au moment de la plantation?

Ce plant de thunbergie 'Yellow Suzie' est attaché à un petit tuteur de bambou vert.

Ce tuteur de plastique accompagne l'ampélopsis élégant dans son ascension vers le ciel. Lorsque la plante sera mature, ce petit treillis n'aura plus son utilité et pourra servir à une autre plante.

POUR LES BESOINS de la production, les plantes grimpantes sont guidées sur des tuteurs ou des treillis. Les tiges sont souvent attachées aux supports avec un ruban spécial. Cette technique est utilisée pour prévenir les bris de tiges lors de la manipulation, ce qui rendrait les plants invendables. De plus, les tuteurs de production donnent aux plantes grimpantes une belle allure et différencient les plantes grimpantes des arbustes ou des fleurs annuelles. **LES PLANTES GRIMPANTES** annuelles et rustiques ont avantage à conserver leur tuteur lors de la plantation. Cela permet de manipuler le plant sans casser des tiges et le tuteur donne une petite longueur d'avance à la plante. Toutefois, ces tuteurs sont très petits, souvent trop petits pour supporter la plante mature. Ils sont utiles au début, lorsque le plant est jeune, mais il faut éventuellement installer un vrai support pour faire grimper la plante, puis retirer ces petits tuteurs. **QUANT AUX ATTACHES,** vous pouvez les laisser sur les plantes grimpantes annuelles qui développent rarement des tiges d'un gros diamètre. Souvent verts, ils se confondent ou se perdent dans le feuillage. Sur les plantes rustiques, vous devez absolument les couper, dès que la plante est fixée à son vrai tuteur, treillis ou autre. Les tiges de certaines plantes rustiques ligneuses épaississent avec les années. Certaines forment même des troncs. Les attaches peuvent donc nuire au grossissement des branches. **LORSQUE VOTRE PLANTE** est bien développée et bien accrochée à son nouveau support de croissance, le tuteur vendu avec la plante devient inutile et vous pouvez alors le retirer. Conservez-les, car vous pourrez les réutiliser dans les contenants décoratifs.

Comment les entretenir ?

Comment tailler les vignes à raisin pour qu'elles produisent des fruits?

QUELQUES DÉFINITIONS

Cep : plant de vigne
à raisin
Sarment : longue tige

MÊME SI LES VIGNES non taillées produisent quelques grappes, c'est la taille qui favorise l'abondance. Il existe autant de techniques de taille qu'il existe de viticulteurs. En éventail, en cordon, en gobelet, en Guyot, en Kniffin à quatre bras, en rideau double, le choix est vaste. Certaines de ces techniques sont parfaites pour les vignes européennes, mais ne conviennent pas au climat québécois. Monsieur Alain Breault, viticulteur québécois d'expérience, préconise la méthode du cordon bas, car celle-ci est particulièrement bien adaptée aux nouvelles vignes américaines résistantes au froid, comme 'Prairie Star'. LES VIGNERONS effectuent habituellement 80 % de la taille de leur vignoble en novembre et ils complètent celle-ci au printemps, en mars ou avril. Au jardin, on peut tailler à n'importe quel moment durant la période de dormance de la vigne, mais le printemps est idéal. VOUS DEVEZ COMMENCER la préparation pour la fructification dès la plantation. La première année, ne taillez pas la vigne. Laissez-la s'installer et développer des tiges. À partir de la seconde ou de la troisième année, tout dépendant de la vigueur, taillez pour ne conserver que deux branches plutôt verticales. C'est de cette manière que vous créerez un cep à deux tiges formant une sorte de «V», qui deviendra les troncs. Ainsi, si l'un de ceux-ci est brisé ou endommagé par le froid, l'autre peut quand même produire des fruits. Sur chaque tronc, choisissez une ou deux branches secondaires que vous fixerez à l'horizontale, à un support. C'est sur celles-ci que se développent les sarments porteurs de fruits. LE PLUS SOUVENT, la vigne est fixée à des fils de fer tendus à l'horizontale. Installez le premier fil à 60 cm du sol, le second fil à 1,00 m et le dernier à 1,50 m. UNE FOIS ACQUISE la forme de base de la vigne, c'est la routine qui s'installe. À chaque printemps, rabattez à deux bourgeons toutes les branches tertiaires, c'est-à-dire les sarments, qui se développent sur les branches secondaires. Retirez complètement les sarments qui se sont développés directement sur le tronc, sauf si vous souhaitez en faire du bois de remplacement. Enfin, supprimez les bourgeons qui prennent naissance à la base du tronc. Vous devez conserver entre 20 et 30 bourgeons par plant, judicieusement disposés sur les branches secondaires. À la fin de la taille, il ne reste à peu près que le tronc double, deux ou quatre branches secondaires horizontales, des petits bouts de branches de deux bourgeons et quelques branches de sécurité.

🗨 **VERS LA MI-JUILLET,** procédez à ce qu'on appelle la taille en vert. Cette technique consiste à raccourcir les sarments producteurs de fruits. Pour cela, raccourcissez l'extrémité du sarment en comptant 12 feuilles après la dernière grappe. Coupez aussi les branches qui poussent trop en hauteur et ôtez les feuilles qui créent de l'ombre sur les grappes. Il est important de faire cette taille, car les fruits ont besoin de beaucoup de soleil pour mûrir. Si les grappes sont trop nombreuses, enlevez-en quelques-unes pour permettre à celles qui restent de grossir. 🗨 **FINALEMENT,** vous devez savoir qu'aucune vigne n'est pareille. Il faut donc ajuster la taille en fonction de la plante. En fait, plus une vigne est âgée, meilleure est la mise à fruits. C'est donc avec les années de pratique de la taille et la vigne qui prend de l'âge que l'on atteint le régime optimal de production d'une vigne à raisin.

Ce jeune plant de vigne est prêt pour la formation.

Sélectionnez deux branches qui deviendront les troncs et coupez complètement les autres branches.

La jeune vigne une fois la taille terminée. Sur les plants plus vieux, on gardera une ou deux branches secondaires par tronc.

Retirez toutes les branches secondaires et raccourcissez les deux branches charpentières.

Raccourcissez les branches tertiaires à deux bourgeons.

En juillet, raccourcissez les sarments porteurs de fruits et retirez les feuilles qui cachent les grappes.

Le scarabée japonais, avec sa carapace luisante, dévore près de 300 espèces de plantes ornementales, dont la vigne vierge.

*Q*uel est l'insecte qui provoque des trous dans les feuilles des vignes vierges?

PLUSIEURS INSECTES peuvent dévorer des petits bouts de feuilles ici et là, mais le plus terrible de tous est le scarabée japonais (*Popillia japonica*). Ce petit coléoptère d'environ un centimètre de long mange les feuilles, le plus souvent entre les nervures principales, ce qui provoque l'apparition de petits trous difformes. Un seul insecte fait bien peu de dégâts, mais comme les scarabées japonais mangent en groupes, parfois de centaines d'individus, la dévastation est souvent importante. Ils sont actifs le jour, surtout lorsqu'il fait chaud. **LES SCARABÉES JAPONAIS** se reconnaissent au premier coup d'œil. La tête et le thorax sont noirs avec des reflets métalliques, ce qui donne une allure disco. Les élytres, c'est-à-dire les ailes supérieures, sont bruns, striés et aussi luisants. Ce sont eux qui forment la carapace. Sur les côtés de l'abdomen, on observe de petites touffes de poils, au nombre de six par côté. **POUR LES CONTRÔLER** efficacement, il faut connaître leurs habitudes de vie. D'abord, il y a une génération par année. Les scarabées japonais hivernent sous forme de larves dans le sol. Au printemps, lorsque le sol se réchauffe, celles-ci remontent à la surface et se transforment en pupes, desquelles sortiront les adultes. Ceux-ci apparaissent entre la fin juin et la fin juillet. Ils sont actifs pendant environ 30 à 45 jours. Leur vie courte les presse à se reproduire et à pondre des œufs dans le sol, habituellement dans la pelouse. Les femelles pondent jusqu'à 60 œufs chacune, entre la mi-juillet et la fin d'août. Elles recherchent des sols humides nécessaires à la survie des œufs. Deux semaines plus tard, les larves naissent. Elles sont blanches, en forme de «C», et mesurent environ 2 cm de long. On confond très souvent la larve du scarabée japonais avec celle du hanneton commun. Cette dernière est deux fois plus longue. Les larves se nourrissent des racines des plantes. Comme les adultes, en petit nombre, elles sont peu dommageables. **IL EST POSSIBLE** d'exercer un certain contrôle sur ces insectes sans avoir recours aux pesticides. On peut d'abord s'en prendre aux œufs qui souffrent d'un manque d'humidité dans le sol. Le fait de réduire l'arrosage de la pelouse en juillet et août diminue les chances d'éclosion des œufs. De plus, une pelouse gardée haute, à 10 cm environ, complique la ponte pour les femelles. Il y a aussi les nématodes que l'on peut appliquer vers la fin du mois d'août ou le début septembre, si les températures sont encore chaudes. La meilleure méthode de contrôle biologique 100 % naturelle demeure la capture manuelle des adultes, tôt le matin, que l'on noie ensuite dans de l'eau savonneuse.

Les pois de senteur demandent beaucoup d'engrais et un sol frais.

*Q*uels sont les secrets pour réussir la culture des pois de senteur?

EN FAIT, leur secret est ce qui rend leur culture difficile. Les pois de senteur souffrent de la chaleur. Ils aiment les températures fraîches. Semer des pois de senteur au mois de juillet risque d'être une catastrophe, surtout dans la grande région de Montréal. Les régions plus au nord ou plus à l'est ont de meilleures chances de réussir cette culture. Toutefois, tout n'est pas sans espoir pour les habitants de la grande ville.

PREMIER CONSEIL, semez à l'intérieur six à huit semaines avant la transplantation au jardin, ce qui veut dire avril. La première manière de semer est une méthode sans terreau. Déposez quatre épaisseurs de papier essuie-tout humidifié au fond d'une soucoupe et placez-y les graines. Ensuite, recouvrez d'une autre épaisseur de papier essuie-tout et d'un papier cellophane. Dès que les petites racines apparaissent, semez les graines à 1 cm de profondeur, dans un terreau humide sans toucher à la petite racine. **L'AUTRE MANIÈRE** de semer est la méthode classique, c'est-à-dire dans un terreau pour semis. Commencez par faire tremper les graines dans l'eau 24 heures. Humidifiez le terreau, semez les graines à 1 cm de profondeur et recouvrez d'un dôme. Dans les deux cas, lorsque les petits plants apparaissent à la surface, il est essentiel de leur fournir beaucoup de lumière et des températures fraîches, autour de 16 °C. Cela garde les jeunes plants compacts. **LE SEMIS** peut aussi se faire directement à l'extérieur, mais, dans ce cas, il devra se faire très tôt, deux ou trois semaines avant les risques de dernier gel. Les jeunes pois de senteur sont résistants à de petits gels. La transplantation des plants semés à l'intérieur se fait lorsque les gels sont écartés, après une période d'acclimatation d'une semaine à l'ombre. Dans le cas du semis à l'extérieur, un trempage des graines facilite la germination. **QU'ILS SOIENT SEMÉS** à l'intérieur ou à l'extérieur, vous devez pincer l'extrémité des tiges lorsque les pois de senteur ont trois paires de feuilles. La tige principale est souvent moins florifère que les tiges latérales. **AVANT DE PLANTER** ou de semer, le sol doit être retourné en profondeur et amendé d'un peu de matières organiques, comme du compost ou du fumier décomposé. La terre de plantation doit être fraîche et légèrement humide en permanence. Un paillis à la base des plants aide le sol à conserver sa fraîcheur. Enfin, les pois de senteur aiment l'engrais. Tout engrais équilibré, ou plus riche en phosphore, leur convient à raison d'une application tous les 10 jours.

Le bon dosage, voilà ce qu'il faut pour avoir des feuilles et des fleurs sur ces gloires du matin 'Split Personality' et 'Blue Star'.

*P*ourquoi les gloires du matin produisent beaucoup de feuillage, mais pas de fleurs?

CE PROBLÈME démontre bien l'importance d'installer la bonne plante dans le bon emplacement. Les gloires du matin préfèrent les sols plutôt pauvres au plein soleil. Un sol très riche en matières organiques ou des fertilisations généreuses encouragent le développement du feuillage, au détriment de la floraison. De plus, ces plants gigantesques deviennent la proie des pucerons. À l'opposé, dans un sol très pauvre et sec, les gloires du matin produisent beaucoup de fleurs, mais sur des plants chétifs. Un équilibre entre les deux situations doit donc être recherché. L'IDÉAL est de cultiver les gloires du matin dans un sol léger et plus ou moins riche et bien drainé. Un sol sablonneux pourra bénéficier d'un petit apport de compost, c'est tout. Arrosez régulièrement, mais pas trop. Pour ce qui est de la fertilisation, appliquez une dose d'engrais liquide équilibré en début de croissance. De cette manière, on favorise un peu la croissance, comparativement à une plante laissée à elle-même, mais on ne la gâte pas trop.

*C*omment savoir quand tailler les clématites?

Les clématites du groupe de taille 1 sont taillées après la floraison.

LA TAILLE DES CLÉMATITES semble bien nébuleuse, mais en fait c'est fort simple. Il existe trois formes de tailles pour ce genre: groupe 1, groupe 2 et groupe 3. Habituellement on indique sur les étiquettes de vente le groupe auquel appartient une clématite. Le problème est qu'on oublie souvent à quoi correspond une taille du groupe 1 ou 2 ou 3. Lorsqu'on comprend enfin la logique derrière ce système à numéro, la taille devient un jeu d'enfant. LES CLÉMATITES à floraison printanière, comme 'Blue Bird', font partie du groupe 1. Elles fleurissent très tôt au printemps et ceci laisse deviner que les bourgeons à fleurs sont déjà présents à l'automne (et du même coup, au printemps). Si on taillait ces clématites sévèrement au printemps, il est certain qu'il n'y aurait pas de fleurs. En fait, les clématites de ce groupe nécessitent habituellement peu de taille, celle-ci est toujours légère. Si vous souhaitez tailler, vous devez le faire tout de suite après la floraison. Ainsi, la plante a tout le temps de produire des nouvelles tiges porteuses de futurs boutons floraux. Toutes les clématites à floraison printanière, soit celles du groupe botanique des atragènes, comme *Clematis alpina* et *Clematis macropetala* et leurs cultivars, font partie du groupe 1. À L'OPPOSÉ, il y a des clématites qui produisent leurs fleurs seulement sur les nouvelles pousses. C'est la raison qui explique leur floraison plus tardive. Celles-ci font donc partie du groupe 3. Ce sont des clématites que l'on peut rabattre très court, à 30 cm du sol, voire moins, chaque printemps, avant la sortie des feuilles, car cela ne nuit en rien à la floraison. Donc, toutes les clématites qui

Chez les clématites du groupe de taille 2, toutes les tiges sont taillées à environ un mètre de hauteur à partir du sol.

Une taille de rabattage à quelques centimètres du sol peut être pratiquée pour les clématites du groupe de taille 3.

fleurissent vers la fin de l'été ou en automne sont de ce groupe. Celui-ci inclut les clématites à fleurs larges et à floraison tardive, comme la célèbre 'Jackmanii', les groupes botaniques des viticella et des texensis, les clématites à fleurs jaunes (*Clematis tangutica*) et toutes les espèces botaniques à floraison tardive. **ENTRE LES DEUX,** il y a des clématites dont une partie des bourgeons à fleurs éclôt sur les pousses de l'année précédente et dont l'autre partie des fleurs apparaissent sur de nouvelles pousses. Ces clématites sont réunies dans le groupe 2. Compromis dans la floraison, compromis dans la taille. Celle-ci s'effectue au printemps, avant la sortie des feuilles, plus précisément juste au moment où les bourgeons commencent à gonfler. Toutes les tiges sont taillées à environ un mètre de hauteur à partir du sol. Plus précisément, on taille juste au-dessus de deux bourgeons bien joufflus, indice d'une floraison. Donc, on part de l'extrémité des tiges, à la recherche de ces bourgeons plus développés que les autres. Avec ce groupe, il faut être prévoyant. Les fleurs de l'année à venir dépendent en partie des nouvelles pousses de l'année en cours. Après la floraison, pour encourager le développement de nouvelles tiges on ne taille qu'une moitié de la plante, l'autre étant laissée telle quelle. Trop compliqué que tout cela? Tailler à un mètre du sol au printemps, c'est tout. La floraison sera tout de même très généreuse. On pourrait rabattre ces clématites au sol comme celles du groupe 3, mais on profiterait seulement de la floraison qui apparaît sur les nouvelles pousses. Les seules clématites à faire partie de ce groupe sont les clématites à fleurs larges et à floraison hâtive. Les clématites à fleurs doubles sont du groupe 2 et, habituellement, les fleurs doubles apparaissent les premières, sur les tiges de l'année précédente. C'est normal pour ces clématites de produire des fleurs simples sur les nouvelles pousses.

CLÉMATITES DU GROUPE 1

Clematis 'Blue Bird'	*C.* 'Pamela Jackman'
C. 'Brunette'	*C.* 'Rosy O'Grady'
C. 'Helsingborg'	*C.* 'Ruby'
C. 'Jan Lindmark'	*C.* 'Willy'
C. 'Lagoon'	

CLÉMATITES DU GROUPE 2

Clematis 'Belle of Woking'	*C.* 'Elsa Späth'
C. 'Blue Ravine'	*C.* 'H.F. Young'
C. 'Carnaby'	*C.* 'Miss Bateman'
C. 'Dr. Ruppel'	*C.* 'Mrs Robert Brydon'
C. 'Duchess of Edinburgh'	*C.* 'Nelly Moser'
	C. 'Niobe'
	C. 'Piilu'

CLÉMATITES DU GROUPE 3

Clematis 'Arabella'	*C.* 'Pink Fantasy'
C. 'Blue Angel'	*C. tangutica*
C. 'Comtesse de Bouchaud'	*C. tangutica* 'Golden Tiara'
C. 'Ernest Markham'	*C. tangutica* 'Radar Love'
C. 'Hagley Hybrid'	*C.* 'The President'
C. 'Huldine'	*C.* 'Ville de Lyon'
C. 'Jackmanii'	*C. viticella* 'Étoile Violette'
C. 'Kardynal Wyszynski'	*C. viticella* 'Minuet'
C. 'Madame Julia Correvon'	*C. viticella* 'Polish Spirit'
C. 'Multiblue'	

Taillé ou pas, le houblon renaît du sol chaque printemps.

Coupée à 30 cm du sol à l'automne, cette clématite à fleurs jaunes développe un feuillage vigoureux qui aura vite rempli ce support décoratif au moment de sa floraison, en août.

*Q*uelles plantes grimpantes peuvent être taillées au sol à l'automne ou au printemps?

Le nettoyage du jardin à l'automne, période où on rabat généralement les plantes vivaces et où on ratisse les feuilles mortes, peut se faire du côté des plantes grimpantes. Avant de couper, tenez compte du fait que les tiges de celles-ci peuvent être décoratives en hiver, tout comme les fruits de certaines espèces. De plus, les branches mortes peuvent servir de supports aux nouvelles tiges. **Parmi les plantes** grimpantes que l'on peut tailler au sol, il y a bien sûr toutes les plantes grimpantes annuelles, car elles ne survivent pas aux gels. On peut aussi rabattre les espèces rustiques qui renaissent du sol chaque printemps. Sur ces plantes, les tiges gèlent ou sont peu résistantes au froid, mais les racines survivent. C'est le cas du houblon, de l'igname, de l'apios d'Amérique, du ménisperme du Canada, de la passiflore rustique et de l'aristoloche. **Les clématites** du groupe de taille 3, telles que présentées dans la question précédente, peuvent aussi être taillées au ras du sol, car elles fleurissent sur les nouvelles pousses. **Certaines plantes** rustiques qui développent du bois ligneux tolèrent une taille sévère, près du sol. C'est le cas de la vigne vierge, des ampélopsis, du lierre de Boston et du lierre anglais. Évidemment, cette taille oblige la plante à recommencer son ascension. Elle peut être utile sur des sujets trop vigoureux pour l'espace disponible ou pour encourager une ramification des plants.

À quelle fréquence doit-on arroser les plantes grimpantes?

Dans un contexte où l'eau potable n'est plus une ressource inépuisable et que les changements climatiques risquent de raréfier l'eau, il est important d'apprendre à rationaliser et à limiter au maximum l'utilisation de l'eau. Il est fini le temps où on arrosait le jardin entier, à tous les jours, avec un système automatique. Les arrosages sont apportés seulement aux plantes grimpantes qui en ont besoin, car beaucoup d'entre elles peuvent être rassasiées seulement avec l'eau de pluie. Bien sûr, les jardins ne sont pas toujours parfaits (peuvent-ils l'être un jour?) et il faut à certains moments, ou dans certaines conditions de culture, apporter de l'eau aux plantes grimpantes sur une base régulière. **Il n'y a pas** de formule générale quant à la fréquence des arrosages. Tout dépend de l'espèce ou du cultivar, de ses besoins et de l'endroit où il se trouve dans le jardin. **Une fois établies,** les plantes grimpantes rustiques, dans la majorité des cas, peuvent très bien pousser sans arrosage. Toutefois, la réalité est tout autre lors de la première année suivant la plantation. Les jeunes plants nouvellement introduits n'ont pas un système de racine suffisamment développé pour subvenir seuls à leurs besoins. Ils doivent recevoir des apports d'eau réguliers. Habituellement, on remplit d'eau la cuvette formée lors de la plantation et on laisse l'eau se résorber. Lorsque le fond de la cuvette semble sec, on arrose de nouveau. La fréquence des arrosages pour une nouvelle plantation dépend de l'emplacement de la plante, au soleil ou à l'ombre, et du type de sol, mais on peut dire sans se tromper, qu'en moyenne, il faut le faire deux ou trois fois par semaine. Par la suite, les plantes grimpantes rustiques se débrouillent assez bien seules, se fiant à Dame Nature, sauf en période de grande sécheresse. À ce moment, l'arrosage est apprécié. La plante indique si elle souffre de ce manque d'eau intense en faisant flétrir son feuillage. Plus de doute alors, elle a besoin d'eau. 🗨 **LES PLANTES GRIMPANTES** annuelles sont en général plus dépendantes des arrosages et elles le sont totalement si elles sont cultivées en contenant. Les plantes en pot doivent souvent être arrosées tous les jours par temps chauds, parfois deux fois par jour lors de chaleurs extrêmes. C'est que le terreau s'assèche vite. Pour savoir si les plantes grimpantes cultivées en contenant ont besoin d'eau, il faut toucher le terreau avec les doigts. Si le terreau est sec en surface et légèrement humide en profondeur, il faut arroser. Les plantes grimpantes annuelles culti-vées en pleine terre ont des besoins différents d'une plante à l'autre. Certaines aiment les sols légèrement humides en permanence, d'autres pré-fèrent les sols plutôt secs. En respectant ces besoins, on ne peut pas se tromper. 🗨 **UN SURPLUS D'ARROSAGE** peut avoir des conséquences né-fastes. L'arrosage accélère la croissance et qui dit plante trop vigoureuse, dit jeunes tiges tendres et savoureuses pour les pucerons. Donc, une plante qui se développe avec trop de rapidité est plus sujette à être la proie des insectes. Pire encore, les sols lourds peuvent empêcher l'eau de se drainer rapidement et certaines plantes grimpantes ne peuvent survivre dans un sol détrempé.

A Arrosez les plantes grimpantes seulement s'il le faut, en tenant compte des besoins de la plante.
B L'arrosage durant l'année de la plantation doit être bien suivi.

Qu'il soit à base de poisson, d'algues, de fumier de poule, de basalte, chaque jardinier trouvera chaussure à sa taille dans la vaste gamme des produits fertilisants naturels.

Les engrais granulaires sont incorporés au sol à l'aide d'un petit sarcloir.

Doit-on fertiliser les plantes grimpantes? Si oui, avec quel type d'engrais?

POUR SE DÉVELOPPER, les plantes grimpantes doivent se nourrir des éléments nutritifs présents dans le sol. Si la plante est cultivée dans un sol qui respecte ses besoins de culture, celui-ci réussit habituellement à fournir tous les éléments nécessaires à une bonne croissance. Vue dans cette optique, la fertilisation complète ce qui existe déjà. La plante ne dépend pas de la fertilisation. Celle-ci permet aussi de cultiver une plante grimpante dans un sol un peu plus pauvre que ce qu'elle exige. 🗨 **DÉJÀ LE SOL** peut avoir été amendé avec des matières organiques, comme le compost ou le fumier. Celles-ci stimulent l'activité microbiologique du sol, contribuent à la rétention de l'eau, améliorent sa texture et sa structure et fertilisent les plantes de façon directe et indirecte. La quantité de matières organiques à apporter dépend des besoins de la plante. Il en faudra très peu pour les gloires du matin qui préfèrent les sols pauvres, une petite pelletée à tous les trois ans environ et à l'opposé la plupart des cucurbitacées, comme les gourdes, peuvent être plantées directement dans le compost. 🗨 **CONTRAIREMENT** aux amendements, les engrais fournissent des éléments nutritifs, en modifiant très peu la nature du sol. Les engrais varient beaucoup, tant dans leur forme (soluble, granulaire, etc.) que leur formulation. Celle-ci concerne les fameux trois nombres affichés sur tous les engrais. Le premier chiffre désigne l'azote, le second, le phosphore et le troisième, le potassium. Ces trois éléments sont les éléments majeurs, essentiels à la croissance des plantes. Pour les plantes grimpantes en général, un engrais équilibré, qui a trois nombres à peu près identiques est conseillé. L'azote favorise le développement du feuillage et la croissance des plantes. Le phosphore joue un rôle dans la floraison et la fructification, la résistance aux maladies et le développement des racines. Le potassium sert de moyen de transport aux autres éléments nutritifs de la plante. Il agit sur tous les fronts. Si la plante grimpante est une plante à feuillage, favorisez un engrais un peu plus riche en azote. Si c'est une plante à fleurs, le phosphore est plus important. 🗨 **LE CHOIX D'UTILISER** un engrais granulaire, ou un engrais liquide, est une décision personnelle. Ces différents types d'engrais peuvent être combinés les uns aux autres. L'engrais granulaire est incorporé au sol et, puisqu'il est maintenant souvent à base de matières organiques, il libère des matières fertilisantes sur une longue période, un peu comme un engrais à dégagement lent. Enfin, les engrais liquides, tantôt des poudres que l'on dissout dans l'eau, tantôt un concentré liquide à diluer dans l'eau, sont appliqués sur une base régulière tout au long de la période de croissance. 🗨 **POUR LA CULTURE** des plantes grimpantes, les engrais naturels sont parfaits. Comme

P L A N T E S
E T   E N G R A I S

- L'eau et l'activité micro-bienne ont un impact sur la disponibilité et l'ab-sorption des éléments nutritifs.

- Les nombres sur un conte-nant d'engrais expriment la portion de l'engrais directement assimilable par les plantes au mo-ment de l'application.

- Une plante en dormance ne peut pas absorber de l'engrais. Évitez la ferti-lisation d'automne, car il y a trop de pertes par lessivage.

leur nom l'indique, ce sont des matières que l'on trouve à l'état brut dans la nature et qui subissent très peu de modifications. Ils peuvent être orga-niques, à base de fumier de poule, d'algues, d'émulsion de poisson, ou mi-néraux, comme le basalte. Ils fournissent une petite quantité de fertilisant à la fois, ce qui favorise la croissance sans la provoquer. Les formulations des engrais de synthèse, dits engrais chimiques, sont trop élevées pour ces plantes, en plus d'être des engrais polluants (beaucoup des matières fer-tilisantes sont carrément lessivées sans servir à la plante) et de ne pas nourrir le sol, mais plutôt la plante. Les engrais de synthèse sont fabriqués en usine à l'aide de différents procédés chimiques, physiques et mécani-ques. Leur fabrication pollue l'air et les cours d'eau.  **DE PLUS,** les engrais naturels fournissent très souvent plus que les trois éléments majeurs. Ils sont aussi très riches en éléments secondaires (calcium, magnésium et soufre) et contiennent des éléments mineurs ou oligo-éléments (fer, manganèse, cuivre, zinc, molybdène, bore, chlore). Même s'ils sont présents en plus petites quantités dans les plantes, ces deux types d'éléments sont essentiels à la bonne santé du sol et des plantes. **QUANT À LA FRÉQUENCE** des applications, chaque compagnie a ses recommandations et il faut les res-pecter. Les engrais granulaires peuvent nécessiter une à trois applications au cours de l'été et les engrais liquides sont habituellement appliqués tous les 10 jours, à toutes les deux semaines, ou une fois par mois, cela dépend du type d'engrais.

*F*aut-il retirer les fleurs fanées sur les plantes grimpantes?

PERSONNELLEMENT, je ne suis pas une adepte des jardins hypernickel où on s'élance pour attraper un pétale fané avant qu'il ne touche le sol. Selon moi, un jardin, c'est surtout des feuilles, quelques fleurs et quelques fruits. Beaucoup de plantes grimpantes produisent des fructifications qui, je pense, sont toutes aussi jolies que les fleurs. **PARMI LES FRUCTIFICATIONS** déco-ratives, il y a bien sûr les petits pois, les gourdes, les doliques, les vignes à raisin, les haricots grimpants et quelques autres. Tout fruit naît d'une fleur. En taillant les fleurs fanées, on retire nécessairement les futurs fruits. D'autres plantes à floraison spectaculaire produisent aussi des fruits décoratifs. Je parle bien sûr des clématites de tout genre et de leurs pompons ébouriffés. Oh! Pardon! De leurs glomérules d'aigrettes plumeuses. Les ampélopsis et les vignes vierges produisent aussi des fruits très ornementaux après la flo-raison. Avec un peu de chance, la passiflore rustique émettra un fruit arron-di, comestible. **ON A AUSSI** tout avantage à laisser intactes les plantes grimpantes annuelles qui se ressèment d'elles-mêmes. En coupant les fleurs fanées des gloires du matin ou des pois de cœur, on se force à racheter de nouvelles semences chaque année. **DE PLUS,** beaucoup d'observateurs

Couper la fleur fanée d'une gourde, c'est faire une croix sur un fruit.

Que serait le concombre sauvage sans son fruit épineux?

arrivent à la conclusion que la taille des fleurs fanées ne favorise pas néces-sairement une floraison plus généreuse. La plante ne gaspille pas toute son énergie à la production de semences. Elle peut encore fleurir abondamment, même si on laisse des fleurs fanées. Toutefois, aucun constat horticole n'est absolu. L'exception est le pois de senteur qui gagne à ce que l'on récolte des bouquets de fleurs pour la maison. La montée en graines ralentit la produc-tion de fleurs, comme si cette plante savait que, maintenant qu'il y a des semences dans les gousses, elle n'a plus besoin de s'évertuer à fleurir.

Les fruits décoratifs de la clé-matite 'Dawn', de parfaits vortex.

Quel type d'attaches doit-on utiliser pour maintenir certaines plantes grimpantes sur leur support?

LES PLANTES GRIMPANTES ne sont pas toutes capables de s'agripper d'elles-mêmes, surtout si elles ne sont pas cultivées sur des matériaux qui leur per-mettent de s'accrocher. Dans ces situations-là, il faut que vous les attachiez.

💬 **LES ATTACHES** doivent pouvoir fixer la plante sans être trop serrées. Si celles-ci le sont, elles peuvent endommager les tiges. Vous pouvez utiliser beaucoup de matériaux pour attacher les plantes grimpantes, mais tous ne conviennent pas. Les fils très résistants et minces, comme le fil à pêche ou le fil de fer, peuvent étouffer les tiges ou les endommager. La corde de nylon, elle, peut convenir à condition que l'on vérifie les liens régulièrement.

A Un petit bout de restant de membrane du jardin d'eau pro-tège cette tige du fil de nylon. **B** Les bas nylon effilés peu-vent connaître une seconde vie comme attaches pour les plantes grimpantes. Leurs teintes habi-tuellement beiges les rendent peu visibles. **C** Un ruban de vel-cro entoure cette colonne de briques et maintient les jeunes tiges du kiwi ornemental, le temps qu'elles s'entortillent da-vantage. **D** Les attaches ne sont pas toujours nécessaires. Une branche rebelle peut simplement être redirigée au bon endroit.

💬 **LES MATÉRIAUX** récupérés sont à l'honneur dans la confection d'attaches et elles sont aussi efficaces que celles proposées sur le marché. Des bandes de coton taillées dans de vieux draps ou dans un t-shirt usé sont faciles à fabriquer. Vous pouvez aussi utiliser des bouts de laine ou de vieux bas nylon. 💬 **DANS LE COMMERCE,** vous pouvez dénicher de la corde brute, de la ficelle, des attaches en plastiques ou du ruban velcro. Ce dernier matériau est très intéressant, car il se taille à la longueur voulue et peut être déplacé ou réutilisé pendant plusieurs années. L'attache de fil de fer enrobée de mousse s'avère plus dispendieuse, mais très bien adaptée aux besoins auxquels elle répond. Elle est particulièrement utile pour arrimer les rosiers grimpants, dont les branches résistent parfois à prendre la position verticale. Elles sont solides et elles aussi peuvent être réutilisées ou déplacées plusieurs fois. 💬 **EN SOMME,** les meilleures attaches sont celles qui ne paraissent pas. Choisissez celles aux couleurs naturelles (beige, brun, gris, vert).

Comment «réveiller» une plante grimpante dont la croissance semble stagner depuis trois ans?

Il est normal pour une jeune plante grimpante de prendre quelques années pour s'installer dans sa nouvelle «demeure». Une plantation attentionnée dans un emplacement qui répond à ses besoins réduit le temps d'attente.

C'EST NORMAL pour une plante récemment mise en terre de prendre quelques années à s'acclimater, même si elle est installée dans de bonnes conditions de culture: découvrir un nouveau sol, apprivoiser un nouvel ensoleillement, s'adapter à un nouveau climat. Certaines plantes grimpantes sont produites aux États-Unis, en Oregon par exemple, et sont vendues au Québec. Il leur faut donc du temps pour s'acclimater. Il n'est pas question pour une plante grimpante de développer des tiges vigoureuses, tant que les racines n'ont pas commencé à s'étendre. 💬 **IL N'Y A PAS DE MOYEN** véritable pour forcer une plante grimpante à pousser. Un peu plus d'eau ou une application d'engrais au printemps change peu de chose. Par contre, l'attente est moins longue si on plante avec soin, dans des conditions de culture qui répondent aux besoins de la plante. Dans de mauvaises conditions, le démarrage peut être plus long. 💬 **IL FAUT RETENIR** que les années d'attente seront toujours récompensées. La patience est une vertu nécessaire dans ces cas-là. Aucune plante grimpante ne refusera de monter indéfiniment. Si la croissance escomptée n'est pas au rendez-vous, déplacez-la au printemps dans un autre emplacement qui lui convient mieux.

Le meilleur moment pour tailler les rosiers grimpants est lorsque les bourgeons commencent à gonfler, au printemps.

A Conservez de trois à sept branches bien disposées et de bonne dimension. Les autres, comme cette branche qui pousse vers l'intérieur, sont rabattues au sol. B On taille les parties gelées des tiges jusqu'à un bourgeon sain et orienté vers l'extérieur. C Un rosier grimpant bien taillé est le gage d'une floraison spectaculaire. D On taille les fleurs fanées juste au-dessus d'une feuille à cinq folioles.

*F*aut-il tailler les rosiers grimpants?

C'EST UNE QUESTION fort intéressante. D'un côté, on sait que la taille des rosiers au printemps encourage leur floraison. De l'autre côté, c'est un rosier grimpant. Si on le taille de la mauvaise manière, il ne sera plus grimpant! Blague à part, le compromis existe. Donc, il faut tailler, mais le moins possible sur la hauteur. **LA TAILLE DES ROSIERS** grimpants se fait au printemps, tôt, avant la sortie des feuilles. On attend habituellement que les bourgeons commencent à gonfler. Vous devez exécuter ce travail au printemps, car l'hiver peut endommager ou faire geler certaines tiges. Si le rosier a été taillé à la perfection à l'automne et que l'hiver est cruel, il restera peu de branches. Pour pratiquer la taille des rosiers, il vous faudra un sécateur à main, un coupe-branche (sécateur à long manche) et peut-être une petite scie à élaguer, pour rabattre au sol de très vieilles branches. **COMME LES ROSIERS** grimpants rustiques ne sont pas couchés au sol pour l'hiver, il arrive que l'extrémité des branches gèle. C'est la première étape de la taille: retirez les branches mortes, les branches cassées et l'extrémité gelée des tiges. Sur un rosier grimpant, conservez de trois à sept grandes branches. Sélectionnez celles qui sont les mieux disposées et qui ne sont ni trop jeunes, ni trop vieilles. Toutes les autres sont rabattues jusqu'au sol. Ensuite, raccourcissez les branches secondaires à un ou deux bourgeons de la branche principale. Ces petits bouts de branches vont donner naissance aux fleurs. Lorsque vous taillez près d'un bourgeon, sélectionnez celui qui pointe vers l'extérieur du plant ou vers le haut. Lorsque la taille est terminée, attachez les branches contre le support de croissance. C'est aussi simple que cela. Vous pouvez choisir de ne pas tailler les rosiers grimpants, mais leur forme et leur floraison seront moins intéressantes. **EN ÉTÉ,** taillez toutes les branches qui entravent le chemin ou qui se développent dans la mauvaise direction. Vous pouvez aussi tailler les fleurs fanées. Coupez les grappes de fleurs juste au-dessus d'une feuille à cinq folioles. Si le rosier est à floraison remontante, c'est à la base de cette feuille à cinq folioles que se cache un bourgeon capable de produire une nouvelle tige porteuse de fleurs.

Comment les conserver et les multiplier ?

Capsules de gloires du matin où se cachent les graines.

*E*st-il possible de récolter les semences de gloires du matin et d'obtenir des plants identiques l'année suivante ?

LES FLEURS DES GLOIRES du matin cèdent la place à des capsules dans lesquelles se trouvent les graines. Laissées à elles-mêmes, les semences tombent au sol lorsque les capsules sont sèches. C'est ainsi que les gloires du matin se ressèment. Il est possible de récolter leurs semences durant tout l'été, et même tard à l'automne, dès que les capsules commencent à sécher. On peut prélever la capsule entière, puis trier et nettoyer les graines plus tard à l'intérieur. Nettoyer les semences signifie simplement séparer les graines des débris. 🗨 **LA MAJORITÉ DES GLOIRES** du matin produisent des semences viables. Le plus surprenant dans tout cela est qu'elles donnent habituellement des plants très semblables au cultivar d'origine. Si on récolte des semences sur le cultivar 'Heavenly Blue', les graines donneront des plantes à fleurs bleu clair, comme la plante originale. Même chose pour le cultivar 'Knowlian's Black' dont les jeunes plants portent des fleurs violet foncé. Ce n'est peut-être pas la règle générale pour tous les cultivars, mais on peut être sûr que la floraison s'approchera des coloris d'origine. Même si ce n'est pas le cas, on peut tout de même apprécier les gloires du matin et attendre la surprise.

*S*ur quelles plantes grimpantes peut-on récolter des semences ?

TOUTES LES PLANTES grimpantes sont des plantes à fleurs, même celles que l'on cultive surtout pour leur feuillage. Pour obtenir des semences, il faut d'abord que la plante fleurisse. Pour cela, elle doit avoir atteint sa maturité. Pour les plantes grimpantes annuelles, c'est une question de mois, pour celles qui sont ligneuses, c'est une question d'années. Ensuite, il faut que la plante soit fertilisée. Certaines plantes grimpantes sont autofertiles et la moindre vibration féconde automatiquement les fleurs. Les pois et les haricots grimpants sont des exemples. D'autres fleurs dépendent entièrement des insectes qui doivent assurer le transport du pollen d'une fleur à l'autre. C'est le cas des plantes monoïques, comme la gourde ou le concombre amer, qui produisent des fleurs mâles distinctes des fleurs femelles sur le même plant. Finalement, il y a les plantes dioïques où les fleurs mâles et les fleurs femelles sont sur des plants séparés, comme les kiwis et le bourreau

Vous pouvez récolter les gousses des pois lorsqu'elles sont bien sèches.

Même les fruits décoratifs de la vigne vierge peuvent être récoltés lorsqu'ils ont pris une belle teinte rouge foncé, presque noire, afin d'en extraire les semences.

des arbres. Il est alors nécessaire d'avoir au moins un plant mâle et un plant femelle pour assurer la production de fruits dans lesquels se cachent les graines. **LA FORMATION** de semences dépend aussi du niveau d'ascendance de la plante avec son, ou ses espèces naturelles. Une plante qui a été croisée plusieurs centaines de fois, dans le but de créer des hybrides à fleurs plus grosses, d'une couleur spéciale, etc., perd parfois en chemin son instinct de survie. Il arrive pour certains cultivars que les semences soient moins nombreuses ou carrément non viables, mais cela est assez rare dans le cas des plantes grimpantes. **LA QUANTITÉ** de semences produites par une plante résulte aussi de son mode de croissance. Les plantes grimpantes annuelles sont soumises à la production de semences pour leur survie. Celles-ci sont donc nombreuses et germent facilement. Les plantes grimpantes rustiques produisent des semences en quantité moins grande et leur germination est généralement difficile. **S'IL Y A PRODUCTION** de fruits et donc de semences, elles peuvent être récoltées en vue d'en faire un semis. Donc, presque toutes les plantes grimpantes ont des semences à offrir, mais ce ne sont pas toutes les semences qui seront faciles à faire germer.

Comment conserver les semences que j'ai récoltées sur des plantes grimpantes ?

LA CONSERVATION des semences en vue d'un semis ultérieur se prépare dès la récolte. D'ordinaire, il vous faut les cueillir lorsque les fruits sont secs, que ce soit des gousses, des capsules ou des capitules. De cette manière, vous êtes certain que les semences ont atteint leur maturité. Sur certaines plantes, le fait de ramasser les graines lorsqu'elles sont encore vertes stoppe leur maturation et elles deviennent non viables. De plus, la récolte doit se faire par temps sec, sinon, à cause de l'humidité, les semences risquent de pourrir. **LE CAS DES PLANTES** grimpantes produisant des baies est l'exception. Les baies des kiwis, du bourreau des arbres, des chèvrefeuilles ou des vignes vierges doivent être récoltées le plus tard possible à l'automne. Par la suite vous devez extraire les semences des fruits, le plus possible, puis vous déposez le tout dans un grand bol d'eau pour le nettoyage. Vous laissez tremper les graines un ou deux jours. Habituellement, après ce laps de temps, les débris flottent à la surface. Vous retirez ensuite les plus gros débris à la main, puis vous rincez les graines dans un tamis. Répétez l'opération de trempage pendant cinq à sept jours, puis laissez-les sécher, enfin libérées, sur un papier essuie-tout ou un linge. Les graines des fruits charnus, comme le concombre amer ou les courges, sont récoltées de la même manière que les baies. **PEU IMPORTE** de quelle plante elles proviennent, les semences encore humides au toucher sont mises à sécher à l'air libre. Une fois bien asséchées, elles peuvent être rangées. À peu près tout peut

Les sacs de plastique à fermeture rapide sont parfaits pour ranger les restants de semences, ainsi que celles récoltées à la main.

servir de contenant. L'idéal est un contenant de plastique avec un capuchon étanche, comme les boîtiers à pellicule photo ou les petits pots de pilule. On peut aussi récupérer différents contenants de plastique du commerce. Il y a aussi les pots de vitre (genre Mason) qui conviennent aux grandes quantités de semences. De plus, celles-ci peuvent être rangées dans des enveloppes faites de papier parchemin ou fabriquées à la main avec du journal ou du papier récupéré, évidemment. L'avantage des contenants de plastique est qu'ils maintiennent une stabilité du taux d'humidité des graines (qui est habituellement moins de 10 %). Cela dit, les petites fluctuations du taux d'humidité des graines emballées dans du papier réduiront de très peu le taux de germination. 🗨 **LES MEILLEURES CONDITIONS** pour entreposer des semences sont exactement le contraire des conditions nécessaires à la germination. Vous devez donc rechercher un endroit sombre, frais et sec. Une garde-robe, un placard ou un petit coin dans le débarras font très bien l'affaire. On attribue généralement plus de qualités au réfrigérateur qu'il n'en mérite. Les semences qui y sont rangées, à environ 4 °C, ne germent pas plus, et pas plus vite, que celles rangées sur une tablette. Même chose pour le congélateur où on pourrait ranger toutes les semences de plantes rustiques.

*L*es rosiers grimpants rustiques ont-ils besoin de protection hivernale?

Rosier 'Louis Jolliet'

LES ROSIERS GRIMPANTS peuvent être divisés en deux grandes catégories, en fonction de leur capacité de survivre à l'hiver. D'un côté, les rosiers rustiques et de l'autre les rosiers non rustiques. Le Québec est divisé en zones qui partagent les mêmes conditions climatiques. Ce sont les zones de rusticité. La région de Montréal porte la zone 5, la région de Québec est de zone 4 et Rouyn-Noranda se trouve en zone 2. Enfin, chaque zone est divisée en deux parties. La zone 5b désigne une région plus chaude et la zone 5a, la partie la plus froide. Un rosier grimpant de zone 5 est considéré rustique, car il peut pousser dans la zone 5 sans protection hivernale. Un rosier grimpant de zone 3 peut pousser dans la zone 3, la zone 4 et la zone 5. Par contre, un

rosier de zone 6 ne peut pas survivre à l'hiver sans protection hivernale au Québec. Si la protection hivernale est défaillante, ou si ce rosier n'est pas protégé, c'est la mort assurée. 🗨 **LES ROSIERS RUSTIQUES** de zone 5 ou moins ne nécessitent pas de protection hivernale s'ils sont cultivés dans une zone égale ou inférieure à celle du rosier. Un rosier grimpant de zone 5 planté dans un jardin situé dans une zone 4 nécessite une protection hivernale. 🗨 **À L'AUTOMNE,** vous devez détacher de leur

ROSIERS GRIMPANTS RUSTIQUES ET LEUR ZONE DE RUSTICITÉ

Rosa 'Captain Samuel Holland', zone 3b

R. 'Dortmund', zone 5b

R. 'Hamburger Phoenix', zone 5b

R. 'Henry Kelsey', zone 3b

R. 'Ilse Krohn Superior', zone 5b

R. 'John Cabot', zone 3a

R. 'John Davis', zone 3b

R. 'Leverkusen', zone 4b

R. 'Louis Jolliet', zone 3b

R. 'Marie-Victorin', zone 3a

R. 'Quadra', zone 3b

R. 'William Baffin', zone 2a

Les rosiers grimpants doivent être couchés au sol s'ils poussent dans une zone de rusticité inférieure à celle qui leur est attribuée.

support et coucher au sol les rosiers grimpants qui requièrent une protection hivernale. Avant cela, découpez les racines sur la moitié opposée au support. Il vous sera ainsi plus facile de coucher les branches. Concernant celles-ci, ne les taillez pas. Attendez au printemps. Liez-les ensemble avec une ficelle et recouvrez le rosier d'une toile de géotextile. Il se vend sur le marché un géotextile blanc plastifié sur un côté, feutré sur l'autre, qui est très apprécié pour la protection hivernale des rosiers. Placez le côté plastifié vers l'extérieur. Courbez vers le sol l'appareillage ainsi obtenu et maintenez-le en place à l'aide de clous, de broches ou autres. À la roseraie du Jardin botanique de Montréal, les horticulteurs placent d'abord un cadre de bois recouvert de treillis métallique (broche à poule) et installent le géotextile par-dessus. Ce cadre prévient l'écrasement de la toile qui risque de se déchirer au contact des épines. De plus, cela prolonge la vie des toiles. Au printemps, retirez celles-ci par temps nuageux, lorsque les bourgeons commencent à gonfler. Redressez les tiges, assurez-vous que les racines retournent bien dans le trou de plantation, effectuez la taille et fixez les tiges au treillis. C'est reparti !

*C*omment conserver les plantes grimpantes exotiques dans la maison ?

RACHETER DE NOUVELLES plantes grimpantes chaque année n'est pas à la portée de tous les budgets. Par divers moyens, comme le semis et le bouturage, il est possible de s'approvisionner en plantes grimpantes à très peu de frais. Certaines d'entre elles peuvent même être rentrées à l'intérieur en automne et être cultivées comme des plantes d'intérieur. Les principales intéressées sont évidemment des annuelles, souvent des plantes exotiques.

ON RÉINTÈGRE ces plantes dans la maison à l'automne, car elles sont sensibles au gel et ne pourraient pas survivre à l'hiver. C'est d'ailleurs une ou deux semaines avant l'arrivée des premiers gels que l'on commence la préparation pour la rentrée. Vous devez d'abord rempoter les plantes cultivées en pleine terre dans des contenants. En règle générale, on utilise à cette fin ceux qui ont 20 cm de diamètre. La journée avant la transplantation, arrosez la plante à rempoter. Le feuillage des plantes grimpantes peut être embarrassant et complique la manipulation des plants. Rabattez-le à environ 30 cm du sol. Déterrez la plante avec soin et rempotez-la avec du terreau d'empotage. Arrosez. Inspectez les plantes pour

Les passiflores exotiques peuvent facilement être rempotées à l'automne, cultivées à l'intérieur en hiver et replantées au jardin au printemps.

QUELQUES PLANTES GRIMPANTES
À RENTRER À L'INTÉRIEUR POUR L'HIVER

Aristoloche géante	Passiflore exotique
Bignone du Chili	Séneçon orange
Dalechampia	Vanille
Manettia	

Cette jeune bouture de séneçon orange placée près d'une fenêtre au plein sud reçoit trop de soleil direct, ce qui fait que les feuilles ont tourné au rouge. Une exposition près d'une fenêtre située à l'est ou à l'ouest lui conviendrait mieux.

vous assurer qu'elles ne sont pas attaquées par des pucerons, des cochenilles ou d'autres petits insectes minuscules. Si c'est le cas, considérez que ces insectes sont difficiles à éradiquer à l'intérieur et qu'ils risquent de contaminer les autres plantes de la maison. Ce n'est pas un jet d'eau puissant ou une application de savon insecticide qui pourra vous en débarrasser complètement. Laissez les plants rempotés à l'extérieur le plus longtemps possible, mais, dès l'annonce d'un gel au sol, entrez-les dans la maison. 🗨 **POUR BIEN POUSSER** dans la maison, les plantes grimpantes exotiques ont besoin de beaucoup de lumière, préférablement pas de soleil direct, mais cela varie pour chacune d'elles. Si les feuilles tournent au rouge ou au pourpre alors qu'elles sont habituellement vertes, c'est un indice que la plante préfère la lumière indirecte. Côté température, c'est entre 16 et 21 °C que les plantes grimpantes sont les plus heureuses. Des températures trop chaudes et une humidité atmosphérique peu élevée (ce qui est le cas dans plusieurs maisons) accélèrent le processus de dessèchement des plantes. Par contre, des températures un peu plus fraîches, jusqu'à 12 °C, ralentissent leur croissance sans les mettre en péril. 🗨 **LES ARROSAGES** doivent être réguliers et, en aucun cas, les plantes grimpantes ne doivent manquer d'eau. Dès que le sol est sec en surface, arrosez. Enfin, les plantes grimpantes exotiques cultivées à l'intérieur sont plus en mode survie qu'en mode croissance vigoureuse. L'hiver est pour elles une sorte de demi-dormance. Dans cette optique, la fertilisation à l'intérieur est inutile d'octobre à février. Par contre, à partir de mars, les journées rallongent et le printemps approche. Vous pouvez alors les stimuler avec un engrais naturel soluble. 🗨 **LES PLANTES GRIMPANTES** peuvent faire de petits séjours à l'extérieur à l'ombre lorsque la température de jour est de 5 à 10 °C. S'il y a risque de gel, on les retourne dans le confort du foyer. Enfin, lorsque tout risque de gel est écarté, replantez les plantes grimpantes dans le jardin, après quelques jours d'acclimatation à l'ombre.

*C*omment multiplier les plantes grimpantes par bouturage?

LES PLANTES GRIMPANTES sont très faciles à bouturer et leurs longues tiges vigoureuses offrent tout plein de matériel pour se faire la main. Cette technique consiste à prélever des portions de tiges et à les préparer de façon à encourager la production des racines. L'avantage du bouturage est qu'il produit des plants génétiquement identiques à la plante sur laquelle on prélève les boutures, le plant mère. Grâce au bouturage, vous pouvez produire des dizaines, voire des centaines de jeunes plants à partir d'une seule plante.

🗨 **VOUS POUVEZ** prélever les boutures à deux moments:

• en période de croissance, préférablement en juillet et août;

• en période de dormance, de novembre à mars.

A Prélevez des boutures de clématites en fin d'été. Dans ce cas, les bouts de tiges n'ont besoin d'avoir que deux bourgeons.
B L'hormone de croissance liquide est tout aussi efficace que l'hormone en poudre. Trempez environ un centimètre de la tige.
C Plantez la bouture dans un substrat et enveloppez le tout d'un sac de plastique transparent pour conserver un haut taux d'humidité.

POUR QUE L'ENRACINEMENT réussisse, il vous faut sélectionner des portions de tiges qui ne sont ni trop vieilles, ni trop jeunes. Ordinairement, une tige qui produit des fleurs a exactement la bonne taille et la bonne maturité pour le bouturage. **À L'AIDE D'UN SÉCATEUR** bien aiguisé ou d'un Exacto, coupez des portions de tiges qui comptent trois ou quatre feuilles ou yeux (les bourgeons). La longueur des boutures dépend de l'espace entre les feuilles, mais elle est généralement de 7 à 15 cm. À la base de la bouture, faites une coupe droite à quelques millimètres sous la ou les feuilles. Les racines se développent très souvent au niveau du nœud, le point d'attache des feuilles. Dans le cas d'une bouture sans feuilles, pratiquez la coupe en biseau au sommet pour différencier le haut du bas. Coupez juste au-dessus d'une feuille ou d'un œil. Retirez les feuilles du bas et coupez de moitié les feuilles restantes si elles sont grosses. La bouture est prête à être plantée.

SI VOUS LE DÉSIREZ, trempez la base de la bouture dans une hormone de croissance. Ce produit favorise l'enracinement. L'hormone n° 1 convient pour les boutures herbacées, le n° 2 pour les boutures semi-ligneuses et le n° 3 pour le tiges ligneuses. Les boutures herbacées peuvent s'enraciner sans hormone, mais, pour les boutures ligneuses ou semi-ligneuses, mieux vaut l'utiliser. S'il s'agit d'une poudre, retirez l'excédent en tapotant la bouture. **DIFFÉRENTS SUBSTRATS** conviennent au bouturage. En général, ce sont des mélanges très riches en perlite et en vermiculite. Par exemple, un mélange maison de 50 % de terreau et de 50 % de perlite. Chaque jardinier peut développer son propre substrat. Certains réussissent bien directement dans la vermiculite, d'autres carrément dans le terreau, d'autres encore bouturent dans un sable horticole humide. Chose certaine, le substrat doit être très humide et demeurer ainsi jusqu'à l'enracinement. De plus, le contenant où on le met doit être propre. **PLANTEZ LES BOUTURES** dans le substrat en pressant bien la base des tiges. Le contact avec le sol doit être ferme, mais celui-ci ne doit pas être compacté. Recouvrez les boutures installées dans le contenant d'un sac de plastique transparent ou d'un dôme de plastique. Cette étape est cruciale, car il faut garder le taux d'humidité ambiant autour de la bouture à presque 100 %. La jeune bouture transpire et n'a pas, pour l'instant, de racines pour absorber de l'eau. C'est la raison pour laquelle sur une bouture on conserve peu de feuilles et que l'on coupe celles qui restent, tout cela dans le but de réduire la perte d'eau par transpiration.

🗨 **SURVEILLEZ LES BOUTURES** de temps en temps et vaporisez-les si vous constatez que le taux d'humidité commence à diminuer. Au besoin, arrosez le terreau. Le temps d'enracinement varie d'une plante à l'autre. Trois semaines seraient le temps d'attente le plus court, mais certaines peuvent prendre jusqu'à deux ans. Sans tirer sur la bouture pour voir les racines, on peut deviner l'enracinement par la sortie de nouvelles feuilles.

*E*st-il possible de multiplier les plantes grimpantes par marcottage ?

On marcotte les plantes grimpantes de la même manière que les arbustes, comme cet arbre à perruque pourpre.

LE MARCOTTAGE EST la technique de bouturage des paresseux! Elle est extrêmement facile à réaliser. Le principe de base est d'enterrer une partie d'une tige de plante grimpante et d'attendre que celle-ci développe des racines. Ensuite, on détache la tige du plant mère et on transplante le nouveau plant ailleurs dans le jardin. 🗨 **LE MARCOTTAGE RÉUSSIT** particulièrement bien sur le lierre anglais, l'hydrangée grimpante et les gourdes, qui se marcottent naturellement d'eux-mêmes. En effet, les tiges développent spontanément des racines au contact du sol. On peut utiliser cette pratique sur la vigne vierge, la vigne à raisin, les kiwis, le bourreau des arbres et bien d'autres. 🗨 **TROUVEZ UNE TIGE** plutôt horizontale ou qu'il est facile de coucher au sol. Creusez un petit fossé de 10 cm de profondeur au plus. Sur les tiges ligneuses, pratiquez une petite incision en biseau sur la partie de tige qui sera enterrée. Placez celle-ci dans le petit fossé et enterrez. Ou encore plus simple, déposez carrément deux pelletées de terre sur une branche qui traîne au sol. Ne vous en occupez plus outre mesure pour quelques mois, voire un an, puis vérifiez l'enracinement en tirant délicatement sur la tige. Si elle est enracinée, il est alors possible de sectionner la portion de tige qui unit encore le plant mère et la nouvelle plante.

*Q*uel est le meilleur moment pour diviser des plantes grimpantes ?

QUELQUES PLANTES grimpantes peuvent être multipliées par division. Peu utile dans le cas des plantes grimpantes annuelles, chez celles qui sont rustiques cette méthode permet d'augmenter le nombre de plants. Cela est pratique s'il faut couvrir une longue distance. Elle permet aussi de partager vos petits trésors avec les voisins et les amis. 🗨 **CE SONT LES PLANTES** grimpantes qui développent des tiges herbacées ou semi-ligneuses, ou encore celles qui forment facilement des tiges à partir du sol, qui se divisent le

Comme pour certains arbustes, on peut diviser une plante grimpante en déterrant, avec une pelle, une petite portion de la plante.

PLANTES GRIMPANTES
QUE L'ON PEUT DIVISER

Ampélopsis	Houblon
(certains cultivars)	Lierre anglais
Aristoloche	Ménisperme
Clématite	du Canada
(certains cultivars)	Passiflore
Dalechampia	Périploca

mieux. Les clématites et les chèvrefeuilles grimpants peuvent parfois être divisés, tout dépend du cultivar. Les plantes qui ne possèdent qu'une branche principale qui se ramifie en rameaux secondaires pour former le plant ne se divisent pas. **LA DIVISION DES PLANTES** doit se faire préférablement en période de dormance lorsque le sol peut être travaillé. Cela vous laisse le choix entre le mois d'avril et mai, avant la sortie des feuilles dans les arbres, ou encore l'automne à partir de la chute des feuilles en octobre jusqu'en novembre. Ces périodes sont idéales, car la plante subit peu le stress de la division. Il est aussi possible de pratiquer cette opération en été, à condition d'assurer à la plante un généreux approvisionnement en eau et de diviser sans déraciner la motte au complet. **VOUS POUVEZ DIVISER** les plantes de deux manières. La première méthode consiste simplement à déterrer, avec une pelle, une petite portion de la plante ou quelques tiges qui poussent à une courte distance de la plante principale. Dans ce cas, la plante subit très peu de dérangement. La deuxième consiste à arracher la plante au complet, à la sortir de son emplacement et s'y mettre à pieds joints. Il n'y a pas de manière élégante de diviser une motte de racine. À l'aide d'une pelle de métal, d'une vieille scie, d'une demi-lune ou d'une pelle à drain (pelle carrée étroite), on tranche la plante d'un coup sec en s'assurant que chaque portion est munie de racines et de tiges. La méthode numéro deux permet aussi de recentrer ou de déplacer la plante au moment de la plantation. On peut aussi profiter de l'occasion pour amender le sol de matières organiques, si cela répond aux besoins de la plante.

Quand et comment semer des plantes grimpantes à l'intérieur ?

LE SEMIS À L'INTÉRIEUR permet de prendre une longueur d'avance sur la parfois trop courte saison de culture. C'est aussi un passe-temps fabuleux pour les mordus de jardinage qui peuvent ainsi jouer dans les fleurs même l'hiver. Les plantes les plus faciles à semer pour un débutant sont les plantes de la famille des courges, comme les gourdes ou le concombre amer, ainsi que les gloires du matin. **LES PLANTES GRIMPANTES** rustiques, comme les clématites, présentent un plus grand défi, car elles demandent une période de froid ou parfois des alternances de température complexes pour germer. Les plantes grimpantes rustiques doivent être semées très tôt, en janvier ou février, car les temps de germination sont parfois longs. Il y a les passiflores et certaines aristoloches qui préfèrent être semées rapidement après la récolte des graines, car leur viabilité est courte. **LES SEMIS** se pratiquent généralement dans un terreau pour semis ou un terreau d'empotage standard. D'abord, il faut l'humidifier. Ajoutez-y de l'eau, jusqu'à ce que le terreau soit humide, mais non détrempé. Lorsqu'on presse une poignée de terreau dans sa main, on doit entendre un «squish», mais il ne faut pas que l'eau dégoutte. Remplissez les contenants de terreau. Toutes sortes de contenants conviennent. On

QUELQUES DATES DE SEMIS

NOM	DATE DE SEMIS	TEMPS DE GERMINATION	DISTANCE ENTRE LES PLANTS
Asarine	15 février	15 à 30 jours	45 cm
Cobée	15 mars	20 à 30 jours	60 cm
Chapeau chinois	15 mars	12 à 42 jours	50 cm
Concombre amer	1er mai	6 à 14 jours	100 cm
Dolique	15 avril	14 à 30 jours	50 cm
Épinard de Malabar	15 mars	14 à 20 jours	50 cm
Gloire du matin	1er mai	5 à 7 jours	45 cm
Gourde	1er mai	6 à 12 jours	100 cm
Ipomée rouge	1er mai	5 à 10 jours	30 cm
Pois de cœur	15 avril	15 à 20 jours	50 cm
Pois de senteur	15 avril	7 à 14 jours	20 cm
Thunbergie	15 avril	7 à 14 jours	45 cm

peut utiliser des pots de plastique ou récupérer des contenants divers. L'important est la présence de trous de drainage que l'on peut percer avec des ciseaux, s'ils sont absents. Les gourdes, les chapeaux chinois, les pois de senteur, les concombres amers supportent peu la transplantation et il est donc préférable de les semer dans des contenants de tourbe de sphaigne ou de papier journal faits maison. Tapotez les contenants remplis de terreau sur la table de travail pour tasser celui-ci, sans le compacter, puis égalisez la surface. Ne remplissez pas les contenants à ras bord, car il vous faudra recouvrir certaines semences. **SEMEZ LES GRAINES** à la surface du terreau, soit en rang, soit à la volée, soit à l'unité. Recouvrez-les ensuite de terreau. Les grosses semences, comme celles des gourdes, sont recouvertes de 2 cm de substrat. Les très petites graines sont simplement pressées contre celui-ci ou recouvertes d'une fine couche de terreau humide passé au tamis.

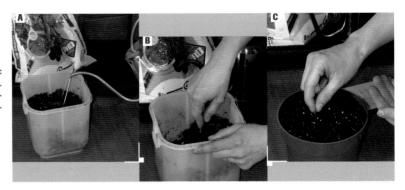

A Humidifiez le terreau avec de l'eau... **B** ... et mélangez. **C** Semez les graines à la surface et recouvrez-les de quelques millimètres de terreau.

Placez ensuite ces contenants dans un plateau pour recueillir l'eau, recouvrez d'un dôme transparent et placez à la lumière. Sauf pour le jasmin trompette, la lumière n'est pas essentielle à la germination, mais elle est nécessaire dès que les plants germent. **POUR GERMER,** une graine a besoin d'humidité. C'est la raison pour laquelle on sème dans un terreau légèrement humide. Elle a aussi besoin de chaleur. Cela est vrai pour la majorité des plantes grimpantes annuelles. Par contre, beaucoup de plantes grimpantes rustiques doivent subir une période de froid pour se manifester, comme c'est le cas dans la nature. Souvent, les graines tombent au sol en automne et germent au printemps. Pour simuler les périodes de froid hivernal, placez les contenants semés dans un sac de plastique, puis installez-les au réfrigérateur pour environ trois mois. Après cette période, placez les contenants au chaud (entre 17 et 21 °C) pour trois autres mois. Si la germination n'a pas lieu ou qu'elle est pauvre, recommencez le processus. Jusqu'au moment de la germination, le terreau doit demeurer humide. **LORSQUE LES PLANTES** germent, qu'elles soient annuelles ou rustiques, placez-les à la pleine lumière ou sous éclairage artificiel. Arrosez régulièrement et pincez les plants après la troisième ou quatrième feuille pour les faire ramifier. Fournissez à celles qui commencent à grimper des tuteurs. Enfin, acclimatez les plants à l'extérieur à l'ombre quelques jours avant de les planter au jardin, une fois que les risques de gel sont écartés.

PLANTES À SEMER DANS UN CONTENANT BIODÉGRADABLE

Chapeau chinois	Gourde
Concombre amer	Pois de senteur
Gloire du matin	

Les gourdes sont semées au début du mois de mai dans des godets fabriqués en papier journal. Au printemps, une ou deux semaines après les derniers risques de gel, on mettra en terre la plante et le pot.

Ce jeune semis de thunbergie laisse deviner sa préférence pour la position verticale. Gardez les tuteurs à portée de la main.

Carte des zones de rusticité

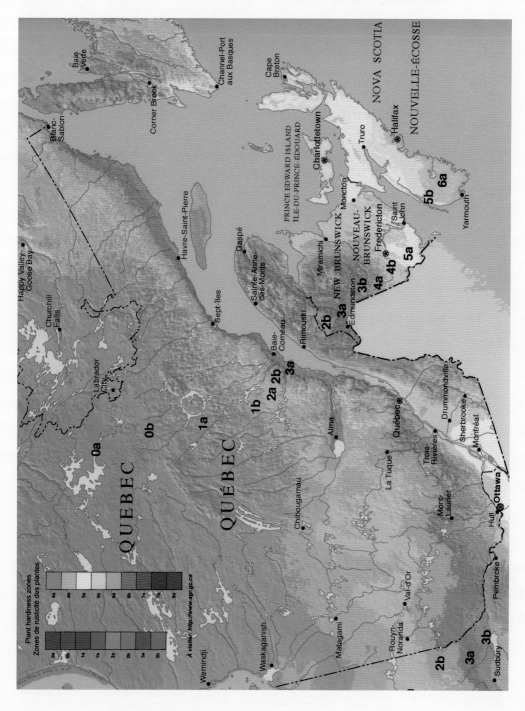

Bibliographie

Baril, Hélène. *Plantes décoratives pour patio et balcon,* Bertrand Dumont éditeur, Boucherville (QC), 2005.

Clifton, Joan. *Climbing Gardens – Adding Height and Structure to your Garden,* Firefly Books, Toronto (ON), 2003.

Crandall, Chuck et Crandall, Barbara *Flowering, Fruiting & Foliage Vines,* Sterling Publishing, New York (NY), 1996.

Darwin, Charles. *The Different Forms of Flowers on Plants of the Same Species,* D. Appleton & Co., New York (NY), 1896.

Darwin, Charles. *The Movements and Habits of Climbing Plants,* John Murray, London, 1875.

Deno, Norman C. *Seed Germination Theory and Practice,* The Pennsylvania State University, Philadelphia (PA), 1994.

Dirr, Michael A. *Manual of Woody Landscape Plants,* Stipes Publishing, Champaign (IL), 1998.

Doucet, Roger. *La science agricole – Fertilisation et environnement,* Éditions Berger, Québec (QC), 2002.

Dumont, Bertrand. *Les niches écologiques des vivaces et plantes herbacées,* Bertrand Dumont éditeur, Boucherville (QC), 2005.

Dumont, Bertrand. *Les niches écologiques des arbres, arbustes et conifères,* Bertrand Dumont éditeur, Boucherville (QC), 2005.

Edinger, Philip. *Vines and Ground Covers,* Sunset Books, Menlo Park (CA), 1999.

Fleurbec. *Plantes sauvages comestibles – Guide d'identification Fleurbec,* Édition Fleurbec, Saint-Henri-de-Lévis (QC), 1981.

Griffiths, Mark. *Index of Garden Plants,* Timber Press, Portland (OR), 1994.

Lacoursière, Estelle et Therrien, Julie. *Fleurs sauvages du Québec,* Les Éditions de l'Homme, Montréal (QC), 1998.

Putz, F. E. et Mooney, H. A. *The biology of Vines,* Cambridge University Press, Cambridge, 1991.

Renaud, Michel. *Fleurs et Jardins écologiques – L'Art d'aménager des écosystèmes,* Bertrand Dumont éditeur, Boucherville (QC), 2005.

Taylor, Jane. *Climbing Plants,* Kew Garden Guides, Timber Press, Portland (OR), 1993.

Thomas, William. *Ortho's All About Vines and Climbers,* Meredith Books, Des Moines (IA), 1999.

Références

Vu le nombre important de plantes rares et peu disponibles sur le marché, l'auteure met à la disposition des lecteurs cette liste d'adresses de fournisseurs. Les entreprises suivantes ont la cote d'appréciation de l'auteure : le service est professionnel et les plants et semences sont de bonne qualité.

POUR SE PROCURER DES SEMENCES

Gardens North, 5984, Third Line Road North, North Gower (Ontario) K0A 2T0. Tél. : (613) 489-0065. Téléc. : (613) 489-1208. Internet : (www.gardensnorth.com). Propose des semences de plantes grimpantes issues de la nature, comme de belles espèces de clématites, l'ampélopsis à feuilles d'aconit et le concombre sauvage. Les semences sont de très bonne qualité.

Terra Edibles, Postal Box 164, 535, Ashley Street, Foxboro (Ontario) K0K 2B0. Tél. : (613) 961-0654. Téléc. : (613) 961-1462. Internet : (www.terraedibles.ca). Offre une très belle collection de pois de senteur, dont 'Cupani's Original' et de petits pois grimpants, dont 'Sugar Snap'.

Semences du Patrimoine, Postal Box 36, Station Q, Toronto (Ontario) M4T 2L7. Tél. : 1-866-509-7333. Internet : (www.seeds.ca). Programme pancanadien d'échange de semences de variétés anciennes. On peut y trouver le haricot grimpant 'Painted Lady'.

Richters, 357 Highway 47, Goodwood (Ontario) L0C 1A0. Tél. : (905) 640-6677. Téléc. : (905) 640-6641. Internet : (www.richters.com). C'est ici qu'on dénichera des semences ou des plants d'igname.

Hawaiian Botanicals Inc., 6011, No. 7 Road, Richmond (CB), V6W 1E8. Tél. : (604) 270-7712. Téléc. : (604) 270-7779. Internet : (www.hawaiianbotanicals.com). Leur sélection varie d'année en année, mais c'est toujours intéressant. On y trouve le dalechampia et l'aristoloche, entre autres.

Hirt's Gardens, 4943 Ridge Road, Medina (Granger Township), OH44281. Tél. : 1-866-748-9984. Internet : (www.hirts.com). Propose des semences de plantes grimpantes tropicales.

Onalee seeds, 226, Benes Rd., Brooksville, (Fl34604-6913). Internet : (www.onaleeseeds.com). On y trouve une magnifique collection de gloires du matin, des gourdes et d'autres plantes grimpantes rares.

NARGS (North American Rock Garden Society), Postal Box 67, Millwood, NY10546. Internet : (www.nargs.org). L'échange de semences annuel propose la clématite akébioïde et quelques autres plantes rares.

POUR SE PROCURER DES PLANTES

Au Jardin de Jean-Pierre, 1070, Rang 1 Ouest, Sainte-Christine (QC), Tél. : (819) 858-2142. Téléc. : (819) 858-2783. Internet : (www.jardinjp.com). Producteur de nombreuses plantes grimpantes rustiques, incluant le jasmin trompette, le chèvrefeuille 'Harlequin', l'aristoloche, la vigne vierge 'Star Showers'.

Pépinière l'Avenir, 209, Principale, L'Avenir (Qc), J0C 1B0. Tél. : (819) 394-2848. Téléc. : (819) 394-2332. Important producteur de clématites.

Le Cactus fleuri, 1850, rang Nord-Ouest, Sainte-Madeleine (QC), J0H 1S0. Tél. : (450) 795-3383. Internet : (www.cactusfleuri.com). C'est ici que l'on déniche des plants de l'aristoloche géante.

Paradis des Orchidées, 1280, montée Champagne, Laval (Québec) H7X 3Z8. Tél. : (450) 689-2244. Téléc. : (450)689-1850. Internet : (www.leparadisdesorchidees.com). La vanille étant une orchidée, c'est chez cette entreprise spécialisée que l'on se procure des plants.

Index

Acclimatation 12, 134, 154, 175
Acer platanoides 144
Achat 132, 138
Actinidia arguta 'Issai' . . .32, 33
Actinidia deliciosa 33
Actinidia kolomikta
   'Arctic Beauty' 47
Actinidia kolomikta
   'Krupnoplodnaya' 47
Actinidia kolomikta
   'Matovnaya' 47
Actinidia kolomikta
   'Nahodka' 47
Actinidia kolomikta
   'Pozodanaya' 47
Ail géant 78
Ajuga reptans 'Purple Torch' .59
Akebia quinata 92
Akébie à cinq folioles . .92, 135,
   . . . . .144, 145, 147
Alcea rugosa 82
Alchémille 59
Allium giganteum 78
Altise 41
Amarante queue de renard . .20
Amaranthus caudatus 20
Amour-en-cage 104
Ampélopsis 104, 146,
   . . . . . .149, 170, 173, 184
Ampélopsis à feuilles
   d'aconit 50, 51,
   . . . . . .133, 135, 138, 144
Ampelopsis aconitifolia . .50, 51
Ampelopsis brevipedunculata
   'Elegans' 60
Ampelopsis élégant
   . . . . .60, 135, 144
Anémone japonaise 107
Angélonia 'Angel Face Blue' .27
Angelonia angustifolia
   'Angel Face Blue' 27
Annuelle 11, 12, 16, 19
Apios americana 69, 135
Apios d'Amérique 65,
   . . . . .69, 133, 170
Arbre à perruque 80, 142
Arbuste 141, 143, 145
Arche . . .19, 37, 59, 80, 85, 86,
   . . .88, 104, 112, 115, 126,
   . . . . .140, 158, 159
Aristoloche . .91, 94, 133, 135,
   . .144, 145, 148, 149, 170,
   . . . . .184, 185
Aristoloche à grandes
   fleurs 103
Aristoloche géante 99, 102,
   . . . . . . .103, 135, 136, 180
Aristolochia durior 94
Aristolochia gigantea 103
Aristolichia grandiflora 103
Aristolochia macrophylla 94

Aristolochia sipho 94
Armoise 'Valerie Finnis' 126
Arrosage 170, 171, 181
Artemisia ludoviciana
   'Valerie Finnis' 126
Asarina scandens
   'Joan Loraine' 12
Asarine 16, 59, 142,
   . . . . .157, 161, 185
Asarine 'Joan Loraine' . .12, 135
Asarine 'Mystic Pink' 12
Asarine 'Red Dragon' 12
Asarine 'Snow White' 12
Asclépiade à fleurs orange . .27
Asclepias curassavica 27
Ascochyta clematidina 78
Aster de Nouvelle-
   Angleterre 82
Aster novae-angliae 82
Aster ponceau 82
Aster puniceum 82
Astilbe 60
Astrance 60
Atragènes 74, 151, 168
Attache . . .19, 27, 37, 44, 47, 48,
   . . . . .56, 59, 86, 88, 125,
   . . . . .143, 158, 174
Baie 56, 51, 60, 178
Basella alba 'Rubra' 41
Baselle rouge 41
Berberis thunbergii
   'Royal Burgundy' 80
Bernado Coba 16
Bette à carde 41
Betula sp. 144
Bignone 86
Bignone du Chili .108, 135, 180
Bougainvillier 101, 107
Bouleau 144
Bourreau des arbres . .43, 133,
   . . . . . .135, 137, 140, 142,
   . . .146, 147, 149, 177, 178
Bourreau des arbres
   'Diane' 48
Bourreau des arbres
   'Hercules' 48
Bouturage . .34, 44, 60, 74, 82,
   . . . . .103, 116, 180 à 183
Branche 30, 108, 150
Brazilian Fire Cracker 100
Bugle 59
Buisson ardent 146
Buttage 34
Calendula officinalis 41
Campsis radicans 86
Caprice «clématitien» . .74, 78
Capsule à pellicule
   photo 116, 179
Capucine grimpante 29
Cardiospermum
   halicacabum 104
Casside 24
Celastrus orbiculatus 140
Celastrus scandens 140
Celastrus scandens 'Diane' . .48
Celastrus scandens
   'Hercules' 48

Cep 164
Cerf de Virginie 88
Chaenomeles sp. 146
Champêtre 122
Chapeau chinois 18, 19,
   . . . . .132, 135, 136,
   . . . . . .142, 155, 185, 186
Chasmanthium latifolium 15
Chèvrefeuille grimpant
   . . . . .48, 141, 146, 178
Chèvrefeuille grimpant
   'Dropmore Scarlet' .59, 88
Chèvrefeuille grimpant
   'Goldflame' 59, 88
Chèvrefeuille grimpant
   'Harlequin' . .55, 59, 135
Chèvrefeuille grimpant
   'Serotina' 59, 88, 135
Chevreuil 96
Chlorophytum sp. 96
Chocolate vine 92
Chrysanthème
   'Clara Curtis' 107
Cierge d'argent 15, 60
Cimicifuga sp. 15
Clematis akebioides 80
Clematis alpina 19, 74,
   . . . . .151, 160, 168
Clematis alpina 'Constance' .74
Clematis alpina
   'Helsingborg' 74, 169
Clematis alpina 'Pamela
   Jackman' 151, 169
Clematis alpina 'Ruby' . .74, 169
Clematis crispa 77
Clematis hybrida
   'Warszawska Nike' 78
Clematis macropetala . . .19, 74,
   . . . . .151, 160, 168
Clematis macropetala 'Blue
   Bird' . .74, 135, 142, 169
Clematis macropetala
   'Maidwell Hall' 74
Clematis macropetala
   'Rosy O'Grady' . .74, 169
Clematis occidentalis var.
   occidentalis 80
Cematis tangutica
   . . . . .160, 151, 169
Clematis tangutica
   'Golden Cross' 82
Clematis tangutica
   'Golden Tiara' 82, 169
Clematis tangutica 'Kugotia' .82
Clematis tangutica
   'Radar Love' 82, 169
Clematis terniflora var.
   robusta 151
Clematis virginiana 80
Clematis viticella 'Betty
   Corning' 77, 135, 151
Clematis viticella 'Étoile
   Violette' .77, 108, 151, 169
Clematis viticella
   'Madame Julia
   Correvon' 77, 141, 169
Clematis viticella 'Minuet' .169

Clematis viticella 'Polish
   Spirit' 77, 141, 169
Clématite 73, 86, 91, 96,
   . . .104, 126, 136, 146, 147,
   . .151, 154, 160, 168, 169,
   . . . . . .170, 173, 184, 185
Clématite à fleurs jaunes . .133,
   . . . . . .149, 151, 160, 169
Clématite à fleurs jaunes
   'Radar Love' 82, 135
Clématite à floraison
   printanière 19
Clématite à larges fleurs . . .108
Clématite akébioïde
   . . . . .133, 135, 151
Clématite 'Allanah' 141
Clématite 'Arabella' 169
Clématite 'Belle of Woking' .169
Clématite 'Blue
   Angel' 141, 169
Clématite 'Blue Ravine' 169
Clématite 'Brunette' 169
Clématite 'Carnaby' . . .151, 169
Clématite 'Comtesse de
   Bouchaud' 78, 141,
   . . . . .151, 169
Clématite 'Dawn' 174
Clématite 'Dr. Ruppel' .169, 151
Clématite 'Duchess
   of Edinburgh' 169
Clématite 'Elsa Späth' .151, 169
Clématite 'Ernest
   Markham' . .126, 151, 169
Clématite 'H.F. Young' .151. 169
Clématite 'Hagley Hybrid'
   . . . . .6, 151, 154, 169
Clématite 'Huldine'
   . . . . .141, 151, 169
Clématite 'Jackmanii'
   . . . . .78, 141, 151, 169
Clématite 'Jan Lindmark' . . .169
Clématite 'Kardynal
   Wyszynski' . .126, 141, 169
Clématite 'Lagoon' 169
Clématite 'Miss Bateman'
   . . . . .151, 169
Clématite 'Mrs Robert
   Brydon' 169
Clématite 'Multiblue' 169
Clématite 'Nelly Moser'
   . . . . .78, 151, 169
Clématite 'Niobe' .108, 141, 169
Clématite 'Piilu' . .126, 141, 169
Clématite 'Pink Fantasy' . . .169
Clématite 'Rhapsody' 151
Clématite 'Robusta' 151
Clématite 'The President' . . .169
Clématite 'Venosa
   Violacea' 151
Clématite 'Ville de Lyon' . . .169
Clématite viticella '
   Betty Corning' 77
Clématite 'Warszawska Nike'
   . . . . .78, 128, 129, 135
Clématite 'Willy' 169
Clôture . .16, 47, 48, 51, 56, 70,
   .80, 82, 92, 135, 142, 160

Cobaea scandens 16
Cobaea scandens 'Alba' 16
Cobée 136, 157, 185
Cobée blanche 16, 135
Cobée mauve 16, 135
Cochenille 96, 138, 181
Cognassiers du Japon 146
Coléus à feuilles larges 24
Colibri . .24, 48, 85, 86, 88, 108
Comestible 29, 38, 41,
. . . . .92, 119, 173
Concombre amer 111, 135,
. . .156, 157, 185, 185, 186
Concombre des Antilles 111
Concombre sauvage . .66, 104,
. . . .133, 135, 137, 141,
. . . . .155, 156, 174
Conservation 177, 178, 180
Contemporain 44, 60
Contenant 20, 41, 74, 96,
. . . . . .103, 132, 134, 143,
. . . . .161, 162, 171
Cordon bas 164
Cosmos blanc 41
Cotinus sp. 80, 142
Cotoneaster horizontalis . . .146
Cotoneaster sp. 141
Cotonéaster 141
Cotonéaster horizontal 146
Courge serpent 111
Courge 104, 185, 155
Couvre-sol 59, 92, 96,
. . . . .125, 146
Crampon . . .56, 136, 147, 152
Crochet 150, 149
Cucumis anguria 111
Cup-and-Saucer Vine 16
Dalechampia
. . . . . . .107, 135, 180, 184
Dalechampia dioscoreifolia .107
Dichondra 161
Dioïque 33, 48, 177
Dioscorea batatas 52
Dioscorea oppositifolia 52
Distance de plantation 135
Doigts de crapaud 24
Dolichos lablab 15
Dolique 91, 133, 144,
. . . . . .156, 157, 173, 185
Dolique 'Ruby Moon' 14,
. . . . .135, 133
Dutchman's Pipe 103
Eccremocarpus scaber 108
Echinocystis lobata 66
Échinocystis lobé 66
Éclairage artificiel 107
Écran 16, 47
Élément secondaire 173
Elmer Swenson 34
Engrais . . . . .172 , 173
Ensoleillement 133
Entretien 164
Épiaire laineux 126
Épinard de Malaba 29
Épinard de Malabar rouge . .41,
. . . . . .135, 136, 157, 185
Épinette bleue du Colorado .80

Épine-vinette 'Royal
Burgundy' 80
Éponge végétale 111
Érable de Norvège 144
Eucomis 103
Eucomis comosa 103
Euonymus fortunei 146
Exotique 86, 99, 100, 103,
. . . . .119, 180, 181
Faux fraisier 59
Fer forgé . . .12, 15, 24, 85, 88,
. . . . . .108, 140, 158, 159
Fertilisation 173, 181
Feuillage 43, 47, 48, 51, 52,
. . .55, 56, 59, 60, 70, 80,
. . . .92, 96, 100, 104, 107,
. . .108, 111, 116, 138, 144
Fève mung 112
Février inerme 144
Ficelle 12, 19, 30, 41, 47,
. . . . .103, 116, 136, 150,
. . . . .153, 158, 159, 175
Filet 19, 41, 47, 74, 77, 85,
. . . . . 104, 136, 143, 153,
. . . . .154, 158, 159
Fil de fer 37, 48, 136, 150,
. . . . .159, 174
Flétrissement de
la clématite 77
Fleur de dragon 12
Fleur fanée 173, 174
Frank J. Skinner 74
Fructification . .43, 82, 164, 173
Fruit 48, 66, 70, 92, 104,
. . . . . .115, 111, 112, 116
Fruitière 34, 37
Fuchsia 'Gartenmeister
Bonstedt' 24
Fusain de Fortune 146
Genévrier 80
Géotextile 180
Géranium d'Arménie 78
Géranium lierre 20
Geranium psilostemon 78
Géranium vivace . .60, 126, 145
Gleditsia sp. 144
Gloire du matin . .16, 23, 24, 59,
. . .108, 122, 132, 134, 136,
. . .137, 149, 156, 157, 168,
. . .172, 173, 177, 185, 186
Gloire du matin
'Blue Star' 23, 168
Gloire du matin
'Cameo Elegance' 154
Gloire du matin
'Heavenly Blue' 23, 177
Gloire du matin
'Knowlia's Black' . .23, 177
Gloire du matin 'Milky Way' .23
Gloire du matin 'President
Tyler' 22, 23, 133, 135
Gloire du matin 'Split
Personality' 23, 168
Gloriette 77, 80
Gourde 99, 115, 135, 136,
. . .146, 148, 155, 156, 157,
. . .172, 173, 183, 185 186

Grappe 165
Grillage 16, 77, 158
Grimpante envahissante . . .137
Hamac 115
Haricot asperge . .99, 112, 135,
. . . . .148, 156, 157
Haricot d'Espagne 'Painted
Lady' 38, 135, 157
Haricot d'Espagne
'Scarlet Runner' . . .38, 134
Haricot grimpant 15, 143,
. . . . . .148, 157, 156, 173
Haricot kilomètre 112
Hedera helix 'Thorndale' 96
Hélichrysum 161
Hosta 60, 96, 103
Houblon . .43, 44, 86, 104, 136,
. . .144, 146, 149, 170, 184
Houblon 'Cascade' 44
Houblon doré 19
Houblon 'Mount Hood' 44
Houblon 'Nugget' 44
Houblon 'Willamette' 44
Humidité atmosphérique . .181
Humulus lupulus 44, 135
Humulus lupulus 'Aureus' . . .19
Hydrangea anomala
'Petiolaris' 91
Hydrangea petiolaris
'Mirranda' 63
Hydrangée à feuilles
panachées 91
Hydrangée à petites
feuilles 91
Hydrangée grimpante . .56, 63,
. . . . .91, 136, 144, 146,
. . . . .147, 158, 159, 183
Hydrangée grimpante
'Mirranda' . . .63, 135, 138
Hymenocallis sp. 103
Igname . .52, 135, 137, 145, 170
Impatiens niamniamensis . .100
Indigène . . .65, 66, 69, 70, 140
Insolation 154
Ipomée cardinal 24, 145
Ipomée rouge 24, 48, 133,
. . . . . .135, 145, 157, 185
Ipomoea batatas 52
Ipomoea multifida 24, 145
Ipomoea purpurea
'President Tyler' 22, 23
Ipomoea quamoclit 24, 145
Ismènes 103
Jardin de cottage 77, 122
Jardinière suspendue . . .12, 20,
. . . . .27, 143, 161
Jasmin trompette 73, 86,
. . . . .133, 135, 147
Jasmin trompette
'Indian Summer' 87
Kiwi . . .29, 104, 177, 178, 183
Kiwi ornemental 48, 133,
. . . . .142, 144, 147
Kiwi ornemental 'Arctic
Beauty' 43, 47, 135
Kiwi rustique 'Issai' 32, 33,
. . . . .135, 145

Lablab purpureus
'Ruby Moon' 14
Lagenaria siceraria 115
Lamier 59
Lantana 2, 27, 161
Lathyrus odoratus
'Cupani's Original' 122
Lierre anglais . . .133, 146, 170,
. . . . .183, 184
Lierre anglais 'Thorndale'
. . . . .96, 135, 144
Lierre de Boston 55, 60,
. . . . .91, 137, 170
Ligulaire 60
Limoneux 133
Lonicera periclymenum
'Harlequin' 59
Lonicera periclymenum
'Serotina' 88
Luffa cylindrica 111
Maladie des taches noires . . . .
. . . . .125, 126, 138, 139
Maladie du blanc 34, 77,
. . . . .126, 138, 139
Manettia 100, 135, 136,
. . . . .145, 161, 180
Manettia bicolor 100
Manettia luteorubra 100
Marcottage 183
Matière organique . . .133, 153,
. . . . .167, 168, 172
Ménisperme du Canada . . .70,
. . .91, 133, 135, 144, 170, 184
Menispermum canadense . . .70
Mildiou 34
Millet 24
Miscanthus de Chine 15
Miscanthus sinensis 15
Momordica charantia 111
Mosaïque du concombre . . .66
Multiplier 177, 181, 183
Mur 44, 48, 56, 63, 70, 77,
. . .85, 86, 91, 92, 94, 96l,
. . .126, 136, 137, 142, 147,
. . .149, 150, 152, 158, 159
Muret 27, 51, 88
Nicotine blanche 24
Noctuelle du houblon 44
Obélisque . .24, 52, 59, 74, 85,
. . . . .142, 159
Oiseau . .48, 51, 56, 115, 152
Oligoélément 173
Ombre 91, 92, 100, 144
Orchidée 29, 119
Paillis . .78, 100, 147, 160, 167
Pansement adhésif 56
Papillon 24, 85, 116
Parfum . .66, 92, 116, 119, 121,
. . . . .122, 125, 126
Parthenocissus quinquefolia
'Star Showers' 56

Parthenocissus tricuspidata 'Fenway Park' 55
Passiflora caerulea 85
Passiflora incarnata 85
Passiflora mollissima 85
Passiflora sp. 19
Passiflore rustique . . .85, 133, ...135, 170
Passiflore .19, 48, 73, 103, 180, ...184, 185
Patate en chapelet 69
Patate sucrée 52
Pennisetum glaucum 'Purple Baron' 24
Pentas rouge 24
Perce-oreille 78
Perche de cèdre 33
Père Cupani 122
Pergola . . . . .44, 47, 48, 52, 82, ...137, 148, 158
Périploca 116, 135, 184
Periploca graeca 116
Perovskia atriplicifolia . . .82, 126
Pétiole enroulant . . . .12, 74, 77, ...78, 136
Petite pervenche à fleurs pourpres 59
Petits pois . . . . .133, 135, 156, ...157, 173
Petits pois 'Sugar Snap' 30, 135
pH .133
Phaseolus coccineus 'Painted Lady' 38
Philadelphus sp. 141
Phlox des jardins 'Norah Leigh' 82
Phosphore 154, 172
Phylloxera vastatrix 37
Physalis alkekengi 104
Physocarpe 142
Physocarpus sp. 142
Pinçage 27, 134
Pisum sativum 'Green Arrow' 30
Pisum sativum 'Spanish Skyscraper' 30
Pisum sativum 'Sugar Snap' .30
Pisum sativum 'Tall Telephone' 30
Plantation . . . . . .153, 154, 155, ...162, 163
Plante fruitière 33
Plante support 145
Plante tapissante .51, 115, 146
Planter 153, 154
Plante d'intérieur 108
Plante-araignée 96
Plectranthe 161
Plumbago 27, 161
Pois 29, 136, 177
Pois 'Blue Pod Capucijners' . .30

Pois 'Golden Sweet' 30
Pois 'Homesteader' 30
Pois 'Knee High' 122
Pois de cœur . . . .104, 135, 137, . . .145, 156, 157, 173, 185
Pois de senteur . .16, 121, 132, . . .134, 145, 156, 157, 161, ...167, 174, 185, 186
Pois de senteur 'Annie B. Gilory' 121, 141
Pois de senteur 'Busby' . . .122
Pois de senteur 'Countess Cadogan' 122
Pois de senteur 'Cupani's Original' 122, 135
Pois de senteur 'Nelly Viner' 122
Polygonum aubertii 'Lemon Lace' 55
Popillia japonica 166
Pot à pilules 116, 179
Pot 94, 100, 107, 132
Potager 41, 96, 111, 142
Potassium 172
Poteau . . . . . .16, 33, 41, 77, 86, ...136, 150, 158
Prix 132, 134
Protection hivernale .37, 82, 85, ...116, 125, 179
Pseudogynoxys chenopodioides 26, 27
Puceron . . . .37, 77, 86, 96, 126, ...138, 168, 171, 181
Purple Bell Vine 19
Pyracantha sp. 146
Racines adventives .63, 86, 96, ...119, 136
Renouée dorée 55
Rhizobium 30
Rhodochiton atrosanguineum 18, 19
Romantisme 12, 60, 77, 144
Rosa hybrida 'Captain Samuel Holland' 179
Rosa hybrida 'Champlain' .126
Rosa hybrida 'John Davis' .126
Rosa hybrida 'Leverkusen' 125
Rosa kordesii 125, 126
Rosa pimpinellifolia 'Frühlingsduft' 125
Rosa rugosa 'David Thompson' 126
Rosa rugosa 'Henri Hudson' 126
Rose ancienne 126
Rose trémière de l'Ukraine . .82
Roseraie 126, 180
Rosier 'Alexander MacKenzie' 141
Rosier 'Blanc Double de Coubert' 141
Rosier 'Dortmund' 179
Rosier 'Grootendorst Pink' .141
Rosier 'Hamburger Phoenix' 179
Rosier 'Hansa' 141

Rosier 'Hansa-Park' 141
Rosier 'Henry Kelsey' 179
Rosier 'Ilse Krohn Superior' .179
Rosier 'J.P. Connell' 141
Rosier 'Louis Jolliet' 179
Rosier 'Marie-Victorin' 179
Rosier 'Martin Frobisher' . . .141
Rosier 'Purple Pavement' . .141
Rosier 'Quadra' 179
Rosier 'Robusta' 141
Rosier 'William Baffin' 179
Rosier grimpant . . . . . .78, 147, ...179, 176
Rosier grimpant 'John Cabot' 126, 179
Rosier grimpant 'John Davis' . .126, 133, 135, 179
Rosier grimpant 'Leverkusen' 125, 135, 179
Rosier rugueux 126
Rosier rustique 'Geranium' . .78
Rosier rustique 'Hunter' 78
Sarmenteux .125, 126, 164, 165
Sauge russe 82, 126
Saule 19
Scarabée 38,60, 69, 166
Schizophragma hydrangeoides 91
Sélectionner 133
Semence 134, 177, 178, 179
Semis . . . . .77, 80, 82, 94, 104, ...108, 111, 112, 115, . .116, 122, 134, 156, 157, . . . 167, 180, 185, 186
Senecio confusus 27
Séneçon orange . . . . .10, 26, 27, ...135, 145, 161, 180
Seringat 141
Silk Vine 116
Souci du jardin 41
Spirée arguta 142
Spirée de Vanhoutte 142
Stachys byzantina 126
Stefan Franczak 78
Suzanne aux yeux noirs 20
Taille 164, 168, 170, 176
Taux d'humidité 152, 179
Teinture 143
Tête de lit 88
Texensis 169
Thunbergia alata 'African Sunset' 20
Thunbergia alata 'Alba' 20
Thunbergia alata 'Sun Lady' .16
Thunbergia erecta 20
Thunbergia grandiflora 20
Thunbergia mysorensis 20
Thunbergie . . . . .134, 136, 157, ...161, 185, 186
Thunbergie à fleurs jaunes . .16
Thunbergie à fleurs orange .16
Thunbergie 'African Sunset' 20, 135
Thunbergie 'Sun Lady' 20
Thunbergie 'Suzie Orange' .20
Thunbergie 'Yellow Suzie' .163
Thym serpolet 59

Tige volubile . . . .12, 19, 20, 24, . . .41, 44, 52, 69, 70, 88, . . .92, 100, 103, 107, 112, . . .116, 135, 136, 149, 150
Tilia sp. 144
Tilleul 144
Tipi . . . . . . .15, 52, 86, 87, 104, ...143, 158
Tonnelle . . . . .11, 19, 37, 44, 47, . . .48, 51, 52, 59, 77, 80, . . .86, 88, 104, 122, 125, . . .126, 142, 143, 158
Toxique 70
Transplantation 132
Treillis . . . . .11,15, 16, 19, 30, 41, . . .44, 48, 51, 52, 56, 59, . . .60, 70, 74, 85, 86, 94, . .100, 103, 104, 111, 112, . .115, 116, 125, 126, 136, . .141, 142, 143, 147, 150, . .153, 158, 159, 163
Trichosanthes cucumerina var. *anguina* 111
Tropicale . . . . .91, 92, 101, 103, ...107, 119, 156
Tubercule 52, 69, 137
Tuteur . . . . .154, 158, ...163
Utilisation 142
Vanilla planifolia 119
Vanille . . . . . . .29, 92, 119, 135, ...144, 180
Verbena bonariensis 19
Vers de terre 155
Verveine de Buenos Aires . . .19
Verveine 20, 161
Vigna unguiculata sesquipedalis 112
Vigne à feuilles pourpre 55
Vigne à raisin . . . .7, 29, 48, 51, ...60, 91, 104, 133, 147, ...149, 164, 173, 183
Vigne à raisin 'Canadice' 37, 135
Vigne à raisin 'Kay Gray' 34
Vigne à raisin 'Montreal Blues' 37
Vigne à raisin 'Prairie Star' 34, 135, 164
Vigne à raisin 'St-Croix' 34
Vigne vierge .51, 86, 136, 137, . . .142, 146, 147, 149, 152, . . .158, 170, 173, 178, 183
Vigne vierge 'Star Showers' .55, ...56, 135, 144, 146
Vinca minor 'Atropurpurea' . .59
Virus de la mosaïque 38
Vis d'ancrage 149
Viticella 77, 151, 169
Vitis hybrida 'Canadice' 37
Vitis hybrida 'Prairie Star' . . .34
Vitis vinifera 'Purpurea' 55
Vrille . . . .19, 37, 51, 60, 66, 85, . .104, 108, 111, 115, 122, ...135, 136, 147, 152
Waldsteinia sp. 59
Yam 52
Zone équatoriale 111